KNAUR SCIENCE FICTION

Herausgeber
Werner Fuchs

San Francisco 1991: brodelnder Hexenkessel aus Sex, Gewalt, Hysterie und modischen Perversionen. In diesem Tollhaus der Zukunft, diesem pulsierenden Herz urbanisierten Wahnsinns, gerät der Nachtclubbesitzer Stu Cole in große Schwierigkeiten. Die BZV, ein eng mit der Mafia zusammenarbeitendes Kreditsyndikat, hat ihn im Visier. Sie will die letzten unorganisierten Bereiche – Glücksspiel, Prostitution, Rockmusik und kleinunternehmerische Aktivitäten – in ihre elektronischen Klauen bekommen und schreckt bei der Durchführung ihres Vorhabens vor keiner Gewalt zurück. Die Vigilanten, ihre paramilitärische Terrorgruppe, verbreiten Angst und Schrecken in der Stadt. Dennoch will Cole nicht klein beigeben. Zusammen mit der Rocksängerin Catz Wailen beginnt er sich zu wehren. Die beiden stehen auf verlorenem Posten, bis ein seltsamer Bursche mit Spiegelbrille auftaucht und die Stadt selbst gegen ihre elektronischen Unterdrücker rebelliert...

JOHN SHIRLEY wurde 1953 in Portland, Oregon, geboren und begann Mitte der siebziger Jahre, SF zu schreiben. Nach einigen Kurzgeschichten, die sich durch ihren ekstatischen Drive auszeichnen (Shirley ist nicht nur Autor, sondern auch Sänger einer Rockband), wurden mehrere bemerkenswerte Romane von ihm veröffentlicht. Ein weiterer Roman Shirleys, »Three-Ring Psychus«, ist für die Reihe »Knaur Science Fiction« in Vorbereitung.

Deutsche Erstausgabe

Titel der Originalausgabe »City Come A-Walkin'«

Aus dem Amerikanischen von Joachim Körber
Umschlagillustration Paul Lehr
Satz IBV Lichtsatz KG, Berlin
Druck und Bindung Hanseatische Druckanstalt GmbH, Hamburg
Printed in Germany · 1 · 10 · 1182
ISBN 3-426-05753-0

1. Auflage

JOHN SHIRLEY

Science-Fiction-Roman

Deutsche Erstausgabe

PROLOG

Die junge Frau in dem Aufnahmestudio rückte ihren Kopfhörer zurecht und gab dem Toningenieur ein Signal. Der Ingenieur, auf der anderen Seite der Glaskabine, nickte zustimmend und drückte einen Knopf, mit dem er mehrere Stunden lang aufgezeichnete Musik einspielen konnte. Das erste Stück, harter, improvisierter Rock – ein Stil, den man gelegentlich *Angstrock* nannte – war schon vor einigen Wochen aufgenommen worden. Die junge Frau war die Leadsängerin der Band. Zum ersten Mal seit der Aufzeichnung hörte jemand diese Bänder; sie hatten zuerst das Geld aufbringen müssen, um das Studio bezahlen zu können. Sie hatte noch keinen Plattenvertrag. Vielleicht bekam sie auch nie einen.
Ihr Name lautete Sonja Pflug, ihr Künstlername war Catz Wailen. Mittlerweile nannte sie jeder Catz, sogar ihre Familie. Catz hörte sich das Band etwa zwei Minuten lang an, dann begannen ihre Mundwinkel zu zucken, und sie runzelte die Stirn. Sie bewegte sich unbehaglich in ihrem Stuhl. In diesem Aufnahmestudio, mit den harten, kalten Plastikstühlen, schien sie es sich niemals bequem machen zu können. Sie war seltsam angespannt, und ihre Spannung wuchs noch. Sie hörte sich das Band an und schüttelte langsam den Kopf. Dann klopfte sie gegen die Glaswand, die den Aufnahmeraum vom Kontrollraum trennte, woraufhin der Ingenieur das Band abschaltete. Sie legte einen Kippschalter um und sprach ins Mikrofon.
»Da ist 'ne gesprochene Stimme im Hintergrund. Haben wir nicht aufgenommen. Hört sich nicht so an, als wäre es jemand von der Band. Kann auch nicht verstehen, was sie sagt. Was, zum Teufel, *ist* das? Die Stimme... Was soll'n das Gewäsch heißen, Mann? Hmm? *Komm schon.* Äh – scheint CB-Funk oder so 'ne Scheiße zu sein, der die Isolierungen überwunden hat. Hm, weißt du, wenn wir das von den Bändern runterhaben wollen, sollten wir besser herausfinden, was es ist, damit wir's abschirmen können. Welche Frequenz. Was soll'n das Kopfschütteln bedeuten? Hör zu, die Luft ist verdammt voller Übertragungen, Radio, Fernsehen, Mikrowellen, und die hämmern die ganze Zeit unsichtbar auf uns ein... Ist 'ne Art von Äther, wie die alten Wissenschaftler immer sagen, ein Medium für alles, was kommerziell und abgeschmackt genug ist. Richtig? Ich glaube, wir haben da 'nen Burschen, der 'ne idiotische Nach-

richtensendung abgestrahlt hat, oder so'n Biertischgelabere in unsere Musik reinbekommen. Paß auf, ich kann's doch *hören*! Es ist da, yeah. Misch noch mal ab, damit ich's besser hören kann, damit ich rausfinden kann, was es ist, Radio oder was, vielleicht hören wir die Rufnummer... Das versaut wirklich das ganze Band. Okay? Bist du soweit? Okay... ich...«

Sie setzte den Kopfhörer wieder auf und signalisierte dem Tontechniker, das Band wieder einzuspielen.

Und die Stimme auf dem Band, die man nun deutlich aus der dröhnenden Musik heraushören konnte, sagte: »Hallo, Catz.« Und dann lachte sie. Ein irres Lachen. »Ich hoffe, du kannst mich deutlich verstehen. Die anderen hier hatten unterschiedliche Erfolge, ihren Stimmen in deiner Welt Gehör zu verschaffen. Die Toten haben keinen Kehlkopf. Zumindest nicht aus eurem Blickwinkel, denn aus eurem...« Er schwieg und lachte. Die Stimme balancierte immer ein wenig hart an der Grenze zur Hysterie.

Es war eine vertraute Stimme.

»... Tut mir leid. Immer wenn ich über Blickwinkel nachdenke, muß ich über das lachen, was geschehen ist. Wie ich die Dinge jetzt sehe. Und wie ich sie damals gesehen habe. Vor dem Großen Sog. Bevor ich den großen Verstand gesehen habe. Den großen Verstand in jedermanns Verstand. Aber für dich muß ich mich wohl etwas verständlicher ausdrücken. Ich bin herumspaziert – spaziert? – yeah, denn ich *habe* einen Körper *dort*, wo ich gerade bin. Aus deinem Blickwinkel aber nicht. Organisation. Ich muß mich in die richtige geistige Verfassung bringen, damit ich dir diese Geschichte erzählen kann, weil... ich muß sie aus dem – *äh* – Blickwinkel deiner Welt erzählen. Ich bin also herumspaziert und habe tagelang darüber nachgedacht, habe die einzelnen Teile in meinem Verstand zusammengesetzt, bin zurückgegangen, um mich selbst zu beobachten – zurück in der Zeit, meine ich: Warum sollte ich um den heißen Brei herumreden? Um mich dabei zu beobachten, wie ich, äh, die ganze Sequenz durchlaufe. Um alles klar zu sehen. Ich habe genügend Zeit, alles klar zu sehen, denn ich werde noch weitere vierzig Relativjahre an deine Welt gefesselt sein. Ich bin fast in deiner Welt, aber nicht ganz. Nur eine Phase einer Seite. Wegen der Stadt und anderen bin ich an sie gefesselt. Ich helfe ihnen allen. Irgendwie sind sie alle miteinander verbunden. Der Überverstand jeder Stadt fußt in einer gemeinsamen Wurzel... New York, San Francisco, Los Angeles – aber L. A. ist so anders, fragmentarisch, räuberisch... Alle Städte, alle sind psychisch gekoppelt. Ein häßlicher und doch ein schöner Ort, dieses große, mentale Reservoir. Du bist wunderschön, Catz. Ich glaube, ich habe dir das noch nie gesagt. Du bist wunderschön. Ich wollte es dir schon immer sagen. Ich hatte aber Angst, du könntest la-

chen und mich als kurzsichtig oder blind bezeichnen. Du hast mich verhöhnt. Aber jetzt ist alles anders. Ich kann dir sagen, ich liebe dich. Und ich kann dir die Gründe für mein Tun erläutern. Warum ich dich in Chicago gehen ließ – ich wußte, du stehst mit dem Verstand Chicagos in Kontakt. Auf einer bestimmten Ebene wußte ich, was geschehen würde. Ich erfülle jetzt eine Funktion, Catz.
Herr im Himmel, du bist wunderschön. Ich kann direkt in dich hineinsehen, in dein persönliches Energiefeld, in den genau fokussierten Punkt in diesem Feld, wo dein – wie nennt man es doch gleich wieder? – wo dein Bewußtsein ist. Ich sehe es in dir glühen wie einen Lichtbogen in einer Vakuumröhre.
Ich hoffe, du erkennst meine Stimme. Ich bediene mich einer Art Psychokinese, um die entsprechenden Schallwellen zu erzeugen. Ich hoffe, es klingt auch wie ich. Es ist eine Art interdimensionales Bauchreden. Hörst du mich? Ich bin's, Stu! Wer sonst schon, was?«
Catz nahm den Kopfhörer ab. Sie gab dem Ingenieur ein Zeichen. Er stoppte die Bandmaschine. Totenbleich sah sie zum Mischpult hinüber. Schließlich stand sie auf, ging zu ihrer Tasche und holte ein Medizinfläschchen heraus. Sie nahm ein Beruhigungsmittel und holte tief Atem. *Er ist es wirklich,* dachte sie.
Sie ging zurück zu ihrem Stuhl und griff nach dem Kopfhörer. Dann setzte sie ihn wieder auf. Sie zögerte, blieb einige Augenblicke still sitzen, in denen sie sich davon überzeugte, weitermachen zu müssen. Dann gab sie dem Ingenieur ein Zeichen und hörte weiter zu.
»Du mußt mich verstehen, Catz. Warum ich nicht mit dir gehen konnte. Warum ich die Stadt tun lassen mußte, was sie tun wollte.
Komisch, Zeit bedeutet den Entkörperten nichts. Wenn man sich erst einmal im Labyrinth auskennt, kann man überallhin reisen. Wir können bei unserer eigenen Geburt danebenstehen. Ich stand unsichtbar am Krankenhausbett meiner Mutter und sah zu, wie ich geboren wurde! Ich sah mich aufwachsen. Ich ging wieder zurück, um Zeuge dessen zu werden. Um alles objektiv sehen zu können. Ich werde dir die Geschichte erzählen, obwohl es größtenteils deine Geschichte ist. Ich hoffe, ich bekomme alles auf dein Band. Ich werde mit jener Nacht im Club beginnen, der zweiten Nacht deiner Tour durch San Francisco. Du warst gerade von Chicago zurückgekommen. In dieser Nacht, als ich dich bat, den Burschen zu psichen, den ich als Raußschmeißer anheuern wollte. Mein Verstand ist bald bereit. Ich fühle es. Dritte Person. Ich bin fast schon die dritte Person.«
Er lachte. Catz winselte. Nur ein wenig verrückt.
»Es war um den zehnten Mai 1991. Im guten, alten San Francisco ... was damals San Francisco war, vor den Veränderungen, vor dem Sog, und – vergiß es. Komisch, vor nicht allzu langer Zeit, relativ zu meinem persön-

lichen Zeitsinn, stand ich mitten in einer Explosion, die Teil des Sogs war. Ein Haus flog in unmittelbarer Nähe in die Luft. Ich wurde nicht verletzt. Es gefiel mir. Ich ging weg, als wäre ich gerade vom Bad in einer turbulenten See gekommen. Aber es ist auch schrecklich...

Jetzt bin ich bereit. Ich gehe zurück. Ellis Street. Der Anästhesie-Club. *Mein Club*, was auch immer sie darüber sagten. Im *Chronicle* stand: ›...null Prozent, wenn man eine ästhetische und menschliche Atmosphäre sucht, hundert Prozent, wenn man auf dauernden Lärm, Schlägereien, Exzentriker, Nutten und Schwule aus ist.‹ *Scheiß* auf den *Chronicle*. Es war mein Club, und mir gefiel er...«

Catz kam es beim Zuhören vor, als würde sie innerlich schmelzen. Schweiß stand ihr auf der Stirn. Im Hintergrund, hinter der entkörperten Stimme, dröhnte und schrillte ihre Band und spielte *Angstrock*, aberwitzigen Heavy-Metal-Sound, schnelle und aggressive Musik wie das Echo einer Untergrundbahn, die auf die Haltestelle zudonnert.

Die Stimme auf dem Band erzählte eine Geschichte.

AINNNZSS!

Es war Samstagabend, zehn Uhr, und das bedeutete, der Club war zum Bersten voll. Er war nicht nur voll, er quoll über. Die Besucher schoben sich fast zu den Fenstern hinaus. Stuart Cole hatte nichts dagegen. Der Club war abhängig von den zusätzlichen Einnahmen dieses samstäglichen Exzesses. Aber das hieß auch, er mußte drei Rausschmeißer für diese eine Nacht anheuern, und was noch schlimmer war, sie auch noch *bezahlen.* Und Cole hatte erst einen Rausschmeißer gefunden. Aber der war völlig überarbeitet und hatte Blutergüsse an den Knöcheln. Cole suchte noch zwei weitere, wobei er bereits von zwei ehemaligen Catchern, einem früheren Mitglied der Grünen Killer und einer schwergewichtigen, militanten Lesbe abgewiesen worden war. Anscheinend achteten sie alle darauf, daß ihre Gesichter heil blieben. Das Anästhesie hatte einen besonderen Ruf...

Cole mixte sich gerade einen Rusty Nail und dachte über Rausschmeißer nach, als ihm der Typ mit der Spiegelbrille auffiel. Seine Aufmerksamkeit wurde auf den Mann gelenkt wie auf eine Boje in fließendem Wasser: ein solides, unbewegliches Ding in einem konstanten Strom. Menschenmengen sind wie Flüsse, voller Strömungen. Menschen sind weiche Geschöpfe, fast nur Wasser, und wenn sie sich bewegen, so geschieht das mehr fließend als abgehackt und eckig. Doch dieser Mann bewegte sich wie ein Eisbrecher – hart und unverrückbar, und doch mit einer gewissen unnachahmlichen Grazie. Er war weder sonderlich muskelbepackt, noch schwergewichtig, aber von einem Hauch der Inflexibilität umgeben. Der Permanenz.

Der ideale Rausschmeißer.

Als er sich dem Mann näherte, kam Cole zu der Auffassung, er konnte unmöglich gut bei Kasse sein. Der Trenchcoat des Mannes war an zwei Stellen zerrissen, der Gürtel fehlte, und der braune Schlapphut, den er tief ins Gesicht gezogen trug, verlor bereits seine Form. Die Spiegelglasbrille dagegen sah neu aus. Sie fing die wirbelnde Reflexion des altmodischen, spiegelnden Facettenballs über der Tanzfläche ein. *Vielleicht ein verkleideter Bulle,* dachte Cole. Oder, noch schlimmer, ein Vigilant. Die Vigs hatten beschlossen, den Prostituierten in der Gegend das Handwerk zu legen, wofür sie ein paar zusätzliche Schläger angeheuert hatten, und im Club hing eine nicht unerhebliche Anzahl Nutten rum.

Er hatte ein eckiges Gesicht, bleich und makellos, aber rauh wie ein Marmorstein, der zur Gestalt eines Mannes erodiert war. Sein kantiges Kinn reichte weiter vor als seine Nase. Das Haar war kurz, lockig und hatte einen blauschwarzen Schimmer. Er war etwa einssiebzig groß und eigent-

lich ein durchschnittlicher Typ. Aber er stand gerade wie ein Wolkenkratzer, was ihm irgendwie den Hauch des Besonderen verlieh.
Während er ihn betrachtete, dachte Cole: *Sei vorsichtig, wen du anheuerst*... In San Francisco ging man besser nicht mit jedem Irren von der Straße ein Risiko ein, es mußte schon die *richtige* Art Verrückter sein.
Daher betrachtete Cole den Mann so unauffällig wie möglich. Er überließ das Mixen Bill Wallach und gab vor, die Bühnenausstattung zu überprüfen, da er sich von der Bühne aus einen besseren Blick auf den Mann versprach.
Cole richtete Mikroständer und Kabelanschlüsse und beobachtete. Der Mann mit der Spiegelbrille stand im Schatten des Zigarettenautomaten am Rand der Menge, die er teilnahmslos musterte. Cole wünschte sich, er hätte seine Augen sehen können.
Sein Blick glitt zum Mund des Mannes. Dessen Lippen waren farblos, zusammengepreßt, zurückgezogen und – sie bewegten sich nicht. Kein bißchen. Catz kam auf die Bühne und erkundigte sich, ob mit der Ausstattung alles in Ordnung sei, und weshalb Cole mit einem Gitarrenkabel herumspielte...? »Ich, äh, *überprüfe* es, Catz. He – könntest du mal 'n Auge auf den Burschen dort drüben beim Zigarettenautomaten werfen? Der mit der Spiegelglasbrille. Entweder ist er gefährlich, oder er ist der perfekte Rausschmeißer. Ich würde gerne wissen, was zutrifft. Ich will ihm keinen Job anbieten, bevor ich nicht weiß, daß er okay ist. Ich kann hier keine verdammten Vig-Infiltranten brauchen...«
Catz nickte achselzuckend. Ihr kurzes, silbern gefärbtes Haar umrandete ihr Gesicht wie ein Vorhang aus Metallfolie, und ihre Augen zogen sich zu schmalen Schlitzen zusammen, wie immer, wenn sie eine Frage stellen wollte. Cole schüttelte den Kopf und ging zurück zur Bar, um dort auf Catz' Report zu warten.
Catz' Band gesellte sich auf der Bühne zu ihr, und als sie ihre Instrumente eingestöpselt, umgehängt und gestimmt hatten, stoppte Cole das Band und brüllte ins Barmikro: »Leerdies und Genitalmen... CATZ WAILEN!« Die Hälfte der Leute auf der Tanzfläche stöhnte, die andere Hälfte brach in Beifallsrufe aus. Alles murmelte erwartungsvoll. Sogar diejenigen, die Catz nicht mochten, hatten schon von ihr gehört.
Sie stimmte ihre Gitarre und beugte sich dabei zu einer vorübereilenden Kellnerin hinunter. Catz flüsterte ihr etwas zu, worauf das Mädchen nickte und sich durch grabschende Hände einen Weg zu Cole bahnte.
»Catz sagt, ich soll ausrichten, der ›Report‹ sei im Songtext. Wovon, zum Teufel, spricht sie?«
»Sag' ich dir später«, antwortete Cole, der nicht die Absicht hatte, es ihr später zu sagen. Daher füllte sie ihr Tablett wieder mit Gläsern und machte sich auf die Socken. Cole wartete. *Der Report ist im Songtext?*

Cole zitterte. Er gehörte zu den wenigen Menschen, die die Worte von Catz' Songs verstehen konnten. Weil er sie schon jahrelang kannte? Wahrscheinlich. Aber auch, weil es eine gewisse Anziehung zwischen ihnen gab. Die meisten Leute wußten überhaupt nicht, daß Catz ihre Texte improvisierte, sie gewissermaßen spontan komponierte. Sie waren jede Nacht anders. Daher reimten sie sich auch so selten.
Die Band hatte gestimmt, war auf sich abgestimmt und wartete. Es war eine fünfköpfige *Angstrock*band, und Catz war ihr Blickfang. Als die Bühnenbeleuchtung anging, blinzelte sie, dann tippte sie kurz an das Mikro, um zu prüfen, ob es funktionierte, und bellte ins Publikum: »RUHE!«
Catz war die einzige Künstlerin, die auf diese Art ein Resultat erzielen konnte.
Die Menge war an diesem Abend besonders lärmend. Die Leute zerschmetterten Gläser, warfen Fuselflaschen gegen die Wand, lachten und kreischten. So eskalierte es jede Nacht. Um Mitternacht brach die Menge, aufgeputscht von ihrem eigenen Dröhnen, einen Aufruhr vom Zaun, der die Wände erbeben ließ. Doch jetzt hatte eine schmächtige, kleine Frau namens Catz Wailen *Ruhe* gesagt.
Und sie waren verstummt.
Es war wie ein Wunder: Alles war totenstill. Ein gelegentliches Husten, ein Kichern, das Klicken von Feuerzeugen. Hier und da flackerten Lichter in dem rauchverhangenen Raum auf, als Joints in Erwartung der Livemusik angezündet wurden. Die Menge auf der Tanzfläche straffte sich angespannt, um sofort im Rhythmus des Songs lostoben zu können.
Die Stille war unnatürlich, und jeder wartete auf ihr Ende. Diese Erwartung wurde mehr als übertroffen, als die Band ihr Eröffnungsstück begann. Es gab eine knallende Explosion, die Leadgitarre spielte ein feuriges Solo, das an einen ungeölten Kran erinnerte, der gerade eine Tonne losen Altmetalls hochhob.
Das Donnern des Basses verschmolz den Heavy-Metal-Rhythmus zu einem homogenen Ganzen, so wie Nieten und Bolzen einen Panzer zusammenhalten. Catz schob ihre Rhythmusgitarre ein wenig beiseite und begann zu singen. Cole dekodierte stirnrunzelnd ihr Kreischen:

Ihr billigen Wichser und ihr billigen Schlampen
Eure Zeit ist um, eure Zeit ist um
Ihr flennenden Weiber und ihr labernden Männer
Und ihr Huren ohne Freude, ohne Sinn
Eure Zeit ist um, eure Zeit ist um
Kein Platz mehr für euch in den Straßen der Stadt
Euer Wimmern ist für'n Arsch

Weil die Stadt euch nicht mehr ertragen kann,
Die Stadt hat euch satt
Hat es satt, bepißt zu werden, kann keine Cadillacs mehr sehn
Der Tag wird finster und die Nacht wird hell
Wenn die Stadt rebelliert
Wenn die Stadt rebelliert, um Rache zu nehmen...

Die Leadgitarre begann ein langes Solo, mit dem sie Jugend in der Sprache der Elektrizität definierte. Catz tanzte hundert Permutationen der Spasmen einer Motte, die in einer Kerzenflamme verbrennt. Catz trat dem Bassisten in den Arsch, lachte, ließ die Arme kreisen und sprang einen Meter hoch in die Luft, kickte in der Abwärtsbewegung gegen die Leadgitarre, spreizte die Beine, klatschte in die Hände, landete flach auf der Bühne, wand den Hals, wackelte als doppelte Provokation mit Arsch und Schultern und kam dabei doch nie aus dem Takt.
Baß und Schlagzeug wurden bedrohlich leise, und ihr übergroßen, goldenen Augen wurden noch größer, ihr kurzes, silbernes Haar klebte schweißnaß an ihrem Kopf. Ihr Gesicht verlor jede Unsicherheit, während sie dem Mann mit der Spiegelglasbrille zunickte und sang:

Wenn die Stadt rebelliert, um Rache zu nehmen
Hindus und ihre Avatara
Catz und ihre Gitarren
Zeus als Schwan und Leda
Manchmal nimmt die Welt die Gestalt von Göttern an
Manchmal Götter die Gestalt von Menschen
Manchmal schreiten Götter wie Sterbliche über die Erde
Und heute, wenn die Stadt rebelliert
Ist auch uns're Zeit um...

Catz konnte die letzte Zeile gerade noch im Takt der Musik atonal zu Ende kreischen. Die Menge hatte keine Ahnung, was sie da sang, aber es gefiel ihr. Weil sie den Leuten das Gefühl gab, das, was sie sang, auch *ernst zu meinen.*
Der Song eskalierte wie ein Krieg im Endstadium, der Facettenball drehte sich und versprühte flammende Blitze, Flaschen flogen durch die Luft, Rauch kräuselte sich. Catz sah Cole durchdringend an (und Cole wünschte sich, kein Zweiundvierzigjähriger mit Bauchansatz zu sein) und sagte in das Mikro: »Dieser Teil des Songs – he, ihr Wichser, ihr sollt ZUHÖREN...« Die Menge brüllte glücklich und halb wahnsinnig zurück. »Schon gut, ihr Dreckskerle! Dieser Teil des Songs erzählt eine Geschichte in zehn Teilen, wie zehn Kapitel eines Buches. Ihr müßt euch

selbst vorstellen, was passiert, indem ihr die unsichtbare Struktur der Musik visualisiert (wenn ihr Pißköpfe das noch kapieren könnt), daher hört, verdammt noch mal, gut zuuuh!« Sie holte tief Atem, die Band machte eine Pause, die Geräusche der Menge erstarben, und dann sang sie laut: »Ainnnzss!« Die Leadgitarre spielt ein aufheulendes Riff, und Cole scheint sich und den Mann mit der Spiegelglasbrille gemeinsam auf der Straße zu sehen.

Sie brüllt: »Zwoh!« Der Baß fällt hart in den Rhythmus ein und erzeugt Bilder des Mannes mit der Spiegelglasbrille auf einem Fernsehschirm.

»Draaaih!« Die Drums erzeugen imaginäre Vigilanten, die wahllos in die Zuschauermenge eines Rockkonzertes ballern.

»VIIEEaah!« Der Synthesizer bringt ihre Gehirne mit Ultraschall- und Klangbildern zum Vibrieren, Bilder von Cole und Catz, die blutend auf einem Holzfußboden liegen, umgeben von lachenden Männern.

»FÜNNFF!« Die Rhythmusgitarre erzeugt ein Bild von Cole und Catz beim Liebesakt.

»Seeeehx!« Baß und Drums erzeugen gemeinsam ein kontrastierendes Bild aus Licht und Schatten, das Cole zeigt, der mit einer Schußwunde im Bein auf dem Bett liegt, neben ihm verstaut Catz ihre Klamotten in einem Koffer.

»Sie-BENN!« Das Schlagzeug wirbelt ein Bild Coles herbei, dem ein guter Freund die Tür ins Gesicht schlägt.

»AAAAACHT!« Die Keyboards zeigen Cole einen flüchtigen Schnappschuß seiner selbst, wie er in einer Gefängniszelle sitzt.

»NOOOOOIIN!« Cole sieht sich selbst nackt vor einem Spiegel, er reibt sich die Augen.

»ZEEEHNN!« Alle Instrumente vereinigen sich zu einem einzigen Akkord, er symbolisiert Cole, der von Spasmen geschüttelt und hustend in einer Allee steht und Blut spuckt...

Der Song endete abrupt. Cole rannte nach draußen. Nachdem er auf der Toilette gekotzt hatte, ging es ihm etwas besser. Er mixte sich einen Drink, um die Benommenheit abzuschütteln. *Warum hat sie mir solche Dinge gezeigt?*

Cole ging zur Bar zurück und begann wieder zu arbeiten, sozusagen ein Joga, um ruhiger zu werden. Catz trieb die Band zu einem anderen Stück.

Der Fremde mit der Spiegelglasbrille sah sich nachdenklich im Raum um. Er war der einzige Anwesende, der sich nicht im Takt der Musik bewegte. Selbst die Barkeeper klopften mit den Fingern mit. Aber der Fremde starrte einfach nur vor sich hin. Und bewegte sich nicht.

Cole blieb an der Bar, um jenes unsägliche, vielmäulige Monster zu füttern, das von der Holztheke kaum auf Distanz gehalten werden konnte –

er schüttete ihm Drinks die Kehlen hinab, die sofort wieder nach mehr lechzten... In regelmäßigen Intervallen entlang der Bar waren Buchungseinheiten angebracht, die die Kreditkarten der Besucher verschlangen und anzeigten, ob der Betreffende noch Geld auf seinem Konto hatte, um dann unverzüglich den Rechnungsbetrag des Käufers dem Konto des Verkäufers gutzuschreiben, jede Transaktion wurde mit Digitalziffern ausgedruckt...
Wie es in jeder Nacht wenigstens einmal vorkam, legte plötzlich jemand Bargeld statt einer Kreditkarte auf die Theke. Diesmal war es ein alter Mann mit weißer Mähne und blauen Augen. »Wo ist dein Geld, Alterchen?« fragte Cole. »Ich meine richtiges Geld. BGE-Karte.«
»Gottverdammich, *das hier* ist richtiges Geld. Verdammte Scheißkarten, alles verfluchter Schwindel...«
»Yeah, yeah, ich weiß, wie dir zumute ist, aber wir verkaufen nichts mehr gegen Bargeld, Opa, keiner macht das mehr. Nicht mal die Würstchenbuden. Für alles – Kaffee oder Schnaps – mußt du eine Kreditkarte haben... Ich weiß überhaupt nicht, wie ihr Burschen damit über die Runden kommt, es gibt doch gewiß nicht mehr als drei Läden in der Stadt, die noch Bargeld nehmen. Bargeldloser Geldeinzug...«
»Fick dich ins Knie!« schnarrte der alte Mann und leckte sich die trockenen Lippen. Er raffte sein Geld wieder zusammen. »Die Musik hier drinnen stinkt sowieso!«
Er ging. »Tut mir leid, Opa!« rief Cole hinter ihm her. *Manche konnten sich einfach nicht umstellen.*
Der Rest von Catz' Darbietung schien wie im Flug vorbeizuziehen, so beschäftigt war Cole. Schließlich sagte Catz eine Pause an und verließ die Bühne. Cole warf die Disco wieder an und mixte Catz einen Drink. Sie stürzte ihren doppelten, trockenen Martini in einem Zug hinunter, und Cole servierte ihr zwei weitere. Wie immer nach einer Vorstellung war Catz hyperaktiv, zitterte am ganzen Körper und schien fast fiebrig.
»Hast du's gehört?« fragte sie.
Cole beugte sich über die Bar, stemmte beide Ellbogen auf die Theke, stützte sein Kinn mit den Händen ab und fragte: »Was, zum Teufel, soll ich damit anfangen?«
»Ich dachte, Lyrik war dein Lieblingsfach am *College*«, konterte sie halb spöttisch.
»Na und? Ich will einen Report darüber, ob ich dem Burschen trauen und ihn als Rausschmeißer einstellen kann, und du erzählst mir was von ›die Stadt rebelliert‹ und so 'ne Scheiße.«
»Hast du die Psi-Schüsse empfangen, die ich übermittelt habe?«
»Yeah, aber... ich hab' sie nicht verstanden.«
»Nun... ich auch nicht. Du willst wissen, ob du dem Burschen trauen

kannst?« lachte sie. »›Den Burschen‹ nennst du ihn. ›Trauen‹ sagst du. Herr im Himmel! Yeah, du könntest ihm deine Kinder als Babysitter anvertrauen, wenn du welche hättest, oder dein Geld, damit er drauf aufpaßt, oder ihn als Rausschmeißer einstellen, wenn er zustimmen würde. Selbst das würde er gewissenhaft erledigen. Nur... er wird nicht zustimmen. Dazu hat er keine Zeit – er muß viel erledigen, und dazu hat er nur eine Nacht... Außerdem ist das nicht *eine* Person. Verstehst du das nicht? Das ist die Stadt. Höchstpersönlich. Der schlafende Teil ist erwacht und inkorporiert worden, Schwachkopf. Verstehst du? Es ist die Personifizierung des ganzen abgewichsten Ortes hier. Manchmal nimmt die Welt die Gestalt von Göttern an und manchmal Götter die Gestalt von Menschen. Manchmal. Eben jetzt. Dieser Mann ist eine ganze Stadt. Und das meine ich ganz bestimmt *nicht* metaphorisch.«

Das alles sagte sie mit todernstem Gesicht. Hätte es ein anderer zu ihm gesagt, Cole würde gelacht haben. Niemand konnte einen Fremden betrachten und dann ein Urteil fällen, als würde er ihn schon jahrelang kennen. Niemand – mit Ausnahme von Catz. Catz hatte eine besondere Gabe. Ein Mann von der Duke Universität hatte ihr mal eine Menge Geld angeboten, damit sie mit ihm nach Osten ging, um sich ESP-Tests zu unterziehen. Aber Catz hatte abgelehnt. Catz *sah* immer nur dann, wenn sie es selbst wollte – wenn ihre Intuition ihr sagte, es war der rechte Zeitpunkt. Daher wußte Cole, daß er sich auf Catz' Urteil verlassen konnte – es war ein Urteil ihrer Gabe. Und daher wußte Cole, wer der Fremde war.

Er hatte Angst.

Catz ging zur Bühne zurück. Plötzlich schien die Luft im Anästhesie-Club sehr stickig. Zigarettenqualm, Dopegeruch und alle Arten menschlicher Ausdünstungen schnürten Cole die Kehle zu, er würgte fast. Er ließ sich von Bill vertreten und ging hinaus.

Er stand auf dem Bordstein und atmete die kühle, nächtliche Frühlingsluft ein.

Doch er konnte nicht still stehenbleiben. Exzessive Energie ließ ihn vor dem Club auf- und abschreiten.

Er war nicht nur herausgekommen, um Luft zu schnappen. Er wollte sich über etwas vergewissern.

Er betrachtete die Stadt.

Es herrschte dichter Verkehr, hauptsächlich Aufreißer, die auf eine schnelle Nummer scharf waren, oder Teenager. Die Autos hupten und rumorten, Scheinwerfer blitzten, Typen brüllten Unverständliches aus den Fenstern. Jemand warf eine Flasche nach Cole, die neben ihm an der Wand zerschellte. »Arschlöcher«, murmelte er abwesend. In den Betongiganten brannte Licht – gedämpftes, blaues Licht von Fernsehern in verdunkelten Wohnzimmern, grelles, weißes Badezimmerlicht, flackerndes,

buntes Licht von Parties. Pornoschuppen erstrahlten in rosa Licht, eine schwache Brise spielte lustlos mit Konfetti im Rinnstein.
»Bruder, könntest du mir vielleicht...«
Cole gab dem Stadtstreicher seine Kreditkarte, sah aufmerksam zu, wie der Stadtstreicher zwei Schritte zur nächsten Buchungseinheit ging, Knöpfe drückte – »Nicht mehr als 'n Dollar, sonst reiß ich dir 'n Arsch auf!« rief Cole – mit denen er sich einen Dollar gutschrieb, und dann die Karte ohne zu lächeln zurückgab. Jetzt konnte er sich mit seiner eigenen Karte wieder einen Schluck Fusel kaufen.
Der Wermutbruder trottete weiter. Cole steckte stirnrunzelnd die Hände in die Hosentaschen. Er roch billiges Parfüm, schalen Wein und noch schalere Pizza von der Ein-Dollar-fünfzig-das-Stück-Bude an der Ecke. Auf dem Gehweg wimmelte es von Nutten, ein paar randalierenden Punks, Obdachlosen und einer Frau, die mit einer Hand in der Tasche – wahrscheinlich an einer Waffe – ihren Pudel spazieren führte.
Aus dem Club dröhnte immer noch das Band mit Discomusik. Also hatte Catz den zweiten Set noch nicht begonnen. Er lächelte, als er sich an die Streitigkeiten erinnerte, die sie beide immer wegen der Discomusik gehabt hatten. Sie sagte, das wäre mittlerweile eine computergemachte Musik, die auf Persönlichkeitsbefragungen und psychologischen Trendprofilen basierte, und das machte sie einheitlich zu einem Abbild des augenblicklichen Status quo, womit Disco sich im Endeffekt als Werkzeug der Repression entlarvte, ein beruhigendes soziales Sedativ, das mithalf, das gegenwärtige System zu stabilisieren. Der Rock'n'Roll des Establishments. Cole lachte daraufhin immer und erklärte ihr, daß jede populäre Musikrichtung den Status quo oder den Wunsch, Teil davon zu sein, reflektierte, und er seinen Club nach den Neigungen des Publikums führte – oder wenigstens auf einen Großteil des Publikums einging. Zweimal jährlich ließ er von seinen Kellnerinnen Befragungen durchführen, welche Art von Musik sie zwischen den Liveauftritten hören wollten, und die Mehrheit nannte dabei eben Disco. Das verschaffte Cole die Möglichkeit, hin und wieder einmal außergewöhnliche Bands zu verpflichten, radikale Künstler, so wie Catz Wailen – weil er an anderen Fronten Kompromisse einging. Und weil die meisten der Bands, die er verpflichtete, gewöhnliche Barbands waren, die immer das spielten, was gerade gern gehört wurde. Catz gab dann immer vorwurfsvoll zurück, er unterwerfe sich damit der faschistischen Mentalität, und fügte noch hinzu: »Im Grunde genommen, Cole-mein-Liebling, bist du ein Kollektivist. Du bist der Hampelmann des Volkswillens. Ich dagegen ein Individualist.« Aber Cole widersprach, und so ging das Streitgespräch hin und her, wie der Discorhythmus.
Die Discomusik wurde abrupt abgestellt, als Catz sich das Mikro

schnappte – ihre amplitudenverstärkte Stimme hallte laut in der Straße auf und ab und ließ die Huren lachen und die Müßiggänger aufschrecken – und rief: »Schaltet endlich diese hirnlose Muzak ab!«

Danach hallte wieder Catz' Musik auf die Straße heraus und ließ die Laternenpfähle erbeben. Cole hatte die Hand gegen einen gelehnt, daher konnte er die Vibrationen in der Stahlsäule spüren. Er fühlte eine Notwendigkeit, vor der lauten Musik zurückzuweichen, wie auch dem Hauch der Anschuldigung zu entgehen, der in Catz' Gesang mitschwang und heute speziell auf ihn ausgerichtet zu sein schien. Cole schlenderte vom Club weg. Mit den Händen in den Taschen schlenderte er nach Süden. Hin und wieder blieb er stehen und ließ sich auf Wortgeplänkel mit den Dealern und sonstigen Typen ein, die unter den Laternen herumhingen und große Sprüche klopften, dumme Sprüche klopften ... »Tatsächlich? Klingt gut, falls du das Kapital auftreiben kannst«, meinte Cole, als Mario ihm sagte, er würde das »Große Geld« in der Modebranche machen, da seine Alte die großartige Idee mit den revolutionären Jeans gehabt hatte – durchsichtiger Stoff über dem Hintern –, und nun wollte er nur noch einen Mäzen finden und dann echt *absahnen*. Und Cole antwortete: »Du hast immer schon gern Ärsche betrachtet, Mario.« Die anderen lachten – Filippinos von der Mission Street, die die große *Action* suchten. Cole verteilte ein paar Zigaretten und lehnte Marios Ersuchen ab, seinen brandheißen Modetrend mitzufinanzieren. Er gab vor, schon in ein anderes Projekt investiert zu haben und ging seines Weges.

Er unterhielt sich mit dem schwarzen Türsteher des nächstgelegenen Hardcore-Trivid-Stores, betrachtete freundlich die letzten Zuschauer der Live-Shows, warf einen kurzen Blick auf die Display racks, auf denen Gestalten sich in den vielfältigen Stellungen der menschlichen Kopulation verknotet hatten. Als er darüber nachdachte, argwöhnte er, daß er das alles womöglich nur betrachtete, um ein wenig Erregung zu verspüren, vielleicht nur ein kleines Zucken beim Anblick der holografischen Fruchtbarkeitsriten. Nur mal kurz abchecken, ob sich die Dinge bei ihm bereits geändert hatten. Aber nein, keine Bewegung, nicht einmal eine schwache Erektion. Er lächelte dem Türsteher freundlich zu, als dieser ihm einen Stapel alter Bücher im Hinterzimmer zeigte. Niemand las mehr Pornoromane. Es gab nur noch Magazine, Videos, Filme und Multistimulatoren. »Hab' diese vadammten Dinga nu schon seit fünf Jahrn hier rumliegn«, sagte der Türsteher auf dem Weg zurück in den Hauptraum. »Sumteufeldamit. Ich vabrenn die Dinga, dasses warmbleibt, wenn sie ma dies' Jah wiedah's Heizöl sperrn. Heizölratohnieruhng iss'n verdammta Scheißdreck.«

Cole stimmte zu und trat wieder auf die Straße hinaus. Er kam an drei schwarzen Nutten vorbei. Diejenige, die ihn nicht kannte, machte ihr obligatorisches Angebot: »Scharf auf 'ne Nummer?« Die anderen beiden gaben aus Spaß vor, ihn ebenfalls zu umwerben, und er ging zum Spaß darauf ein. »Aber ihr verlangt nicht genügend, Ladies. Für feine Beinchen wie diese zahle ich niemals weniger als 737000 Kreditdollars. Aber das könnte ich euch nicht antun. Die Jungs vom IRS würden euch auseinandernehmen.«

»Scheiß drauf, ich würd's für'n freien Drink in deinem Rattenloch machen, Cole.«

»In 'nem Rattenloch kriegt man keinen Drink, du Schlampe.«

»Ich wollte sagen, in einem feinen, öffentlichen Lokal, das dir gehört, Baby.«

»Baby, hm? Feines öffentliches Lokal, was? Kannst um Mitternacht vorbeikommen, ich spendier dir 'nen Brandy und ein Seven-up dafür.«

Nun lobten auch die anderen seinen Club in den höchsten Tönen. »Ich hab' in *Bon Appetit* von dem Burschen gelesen. He, ich hab' dein Bild *tatsächlich* in 'nem Magazin gesehen, Mann.«

»Was?«

»In *Overview*, Mann.«

»Yeah, die liest immer irgendwelchen Scheiß«, sagte eine der anderen und zündete sich einen Joint an.

»War ein Artikel über 'n Allroundtalent namens Cole, Mann. Du hast da 'n paar Sachen gesagt, für die dir die Vigilantenarschlöcher wahrscheinlich den Arsch aufreißen werden.«

»*Was* denn? Ich erinnere mich nicht. Der Typ stellte mir Fragen. Ich hab' sie beantwortet und dann vergessen. Ich sollte mich... äh, nicht von denen interviewen lassen.«

»Hast gesagt, die Vigs würden für die lokalen Bosse arbeiten, die die Huren organisieren wollen, was die Hurengewerkschaft aber nicht zulassen wird, und daher bezahlen sie diese Burschen, um die Huren und Freier einzuschüchtern, die vorgeblich moralisch entrüstet sind, in Wahrheit aber bloß 'ne...«

»Verdammt richtig«, sagte jemand, den Cole nicht kannte. Er war tief besorgt. Die Vigs hatten in einen Club in Oakland Brandbomben geworfen, weil dort Nutten der Zutritt verboten war...

»Bis später, Ladies«, sagte Cole und schlenderte weiter. Er kickte in den Überresten einer umgefallenen Mülltonne herum. Eine Küchenschabe, so groß wie eine Maus, krabbelte über seine Stiefelspitze. Verärgert kickte er das Insekt weg, es prallte von der Windschutzscheibe eines geparkten Mini-Cad-Dampfwagens zurück.

Er ging zu einer kombinierten Telefonzelle/Zeitungskiosk, nahm auf dem Metallstuhl Platz, schob seine BGE-Karte in den Schlitz und tippte den Code für Magazine. Die Liste verfügbarer Magazine erschien auf dem

Vidschirm über dem Telefon. Er wählte *Overview* vom Mai 1991. Als der Inhalt des Heftes erschien, wählte er die betreffende Seite:

DREI MÄNNER UND DREI NACHTCLUBS

In drei Nächten unterhielten wir uns mit drei Clubbesitzern und bekamen so drei völlig unterschiedliche Facetten einer einzigen Stadt zu sehen. Am Freitag war es Billy Russiter, Eigentümer von Carltons Pinte an...

Cole zog eine ungeduldige Grimasse und drückte den schnellen Vorlauf, bis er den Abschnitt gefunden hatte, der sich mit dem Anästhesie befaßte.

... Stuart Coles spezieller Sinn für Humor wird am Namen des Clubs deutlich und dann in dessen Dekor. Selbstverständlich besuchen alle von uns Bars zum Zweck der Anästhesie, wir betäuben unseren Schmerz mit Alkoholika und den Ablenkungen, die Shows bieten, dem Verlorensein in einer großen Menschenmenge. Der Club ist – oder war, bevor der Großteil der Möbel zerschlagen und die Dekoration verwüstet wurde – angemalt und eingerichtet wie ein Krankenhauszimmer. Die mittlere Tischreihe besteht aus Krankenhausbetten, bei denen man die Matratzen durch hölzerne Tischplatten ersetzt hat. Hier und dort stehen Urinflaschenregale und Medizinschränkchen, an den Wänden hängen Fieberkurven imaginärer Patienten. Aber natürlich geht der Effekt verloren, wenn die Lichter ausgehen und die Bands auf der Bühne mit ihrer Darbietung beginnen...
Stu Cole ist ein Mann in mittleren Jahren, vielleicht etwas jünger, als er aussieht, aber durch schwere Zeiten und eine Reihe harter Jobs gealtert. Sein Haar wird bereits schütter, und sein stets freundlicher Gesichtsausdruck kann die permanenten Sorgenfältchen nicht mehr verbergen.

Cole runzelte die Stirn und tippte rasch weiter bis zum Beginn des Interviews.

Overview: Sie kamen vor zehn Jahren aus New York hierher?
Cole: Ich habe acht Jahre in New York gelebt, ja. Aber eigentlich bin ich in der Bay Area aufgewachsen. Kindheit und Jugend verbrachte ich hauptsächlich in Oakland und Berkeley. Mit diesem Gebiet verbinden mich starke Bande. Auch noch nach sechs Jahren New York hatte ich

Träume – lebhafte Träume! – von San Francisco. Vielleicht ist das der Grund, weshalb ich zurückgekommen bin.
Overview: Was haben Sie während Ihrer Zeit in New York getan?
Cole: Das ist eine zu allgemeine Fragestellung. Wenn Sie damit meinen, wie ich gelebt habe... nun, ich begann als Strichjunge.
Overview: Als männliche Prostituierte?
Cole: Klar. Sie wollten doch ein ehrliches Interview, oder? Ich hab's hauptsächlich mit biederen alten Herren getrieben, aber auch mal mit ein paar Hetero-Paaren. Im Grunde genommen war ich nicht schwul, aber es funktionierte, wenn ich dafür bezahlt wurde. Allerdings war es eine schlimme Zeit. Ich gab es auf, als mich ein Typ in Queens in einem alten Bahnhof im Regen aussetzte. Er stieß mich einfach aus seinem Wagen, als ich mich wieder anziehen wollte. Danach beantragte ich ein Stipendium und ging wieder zur Schule.
Overview: Und dort graduierten Sie mit Auszeichnung, das ist uns bekannt, lehnten aber den Titel ab. Warum?
Cole: Ich war zu der Überzeugung gelangt, daß Titel elitär und bedeutungslos sind und nur dazu dienen, dich von allen anderen zu trennen. Ich fühlte mich immer irgendwie... äh... vom Volk entfremdet, daher wollte ich nur um so mehr dazugehören. Aus diesem Grund, schätze ich, suchte ich mein Leben lang nach einer Situation, die mir das Gefühl gab, dazuzugehören. Ich brauchte eine Art Familie. Meinen Eltern bin ich nie sehr nahegestanden. Meine Schwester lief weg und blieb lange verschwunden. Daher habe ich nur meinen Club und meine... nun, im Grunde genommen die ganze, verdammte *Stadt*.
Overview: Seltsam, was für ein starkes Verbundenheitsgefühl die Dauereinwohner von San Francisco mit ihrer Stadt verbindet, manche sind echte Fanatiker.
Cole: Ich glaube, das gilt auch für mich. Ein Fanatiker – aber nicht im Sinne von ›love it or leave it‹. Viele Leute regen sich darüber auf, daß die Stadt von Touristen überschwemmt wird. Für mich sind die Touristen ein Teil der Stadt. Die Stadt hängt von ihnen ab. In gewisser Weise ist das eine einmalige Stadt, weil sie so dicht besiedelt ist. Ich meine, sie ist total übervölkert, der Stadtkern zumindest, diese kleine Halbinsel, dann die Hügel rauf und runter. Und das wiederum bedeutet, die lateinamerikanische Bevölkerung, und die schwarze Bevölkerung, die Filippinos, die Chinesen, die Japaner und die Schwulen, überall Schwule, die Araber, die Inder, die Angehörigen der weißen Mittelschicht – sie alle drängen sich ständig Schulter an Schulter, ihre verschiedenen ›Ghettos‹ überlappen sich. Daher resultiert dieses starke Gemeinschaftsgefühl meines Erachtens.
Overview: Uns fällt eine gewisse Spannung in Ihrer Sprechweise auf,

Stu. Sie schwanken immer zwischen Gossensprache und der Ausdrucksweise eines gebildeten Mannes hin und her...
Cole (lacht): Nun, beides basiert auf Bildung. Aber wie ich herausfand, ist die Gossenbildung wesentlich nützlicher. Yeah, ich nehm' an, ich bin schon 'ne komische Mischung. Ich kenne einen guten Teil dessen, was die Presse mit ›Unterwelt‹ bezeichnet und sehr viele Künstler und Fotografen... Ich glaube, ich versuche immer, alle Facetten dieser Stadt einzufangen. Alle verschiedenen Teile. Ich glaube, meine sämtlichen Versuche damals, als ich mir den Arsch abgelaufen habe, um den Club in Schwung zu bringen, dienten nur dazu, einen neutralen Grund für den Kontakt mit der Stadt selbst zu bekommen. Eine Zeitlang war der Club wie alle anderen auch dekoriert. Aber ich brauchte eine Veränderung. Angesichts der vielen unterschiedlichen Leute, die zu uns kommen, wären Sie sicher überrascht. Schickeria, Neopunks, Transsexuelle, Künstler, Mechaniker, einige der gewöhnlichsten Leute, die man sich nur vorstellen kann, aber auch einige der ausgeflipptesten...
Overview: Aber das liegt doch gerade in Ihrer Absicht, man braucht sich doch nur Ihr Programm anzusehen: Multimediashows, Komödianten, Rockbands, Jazzkapellen, Schlagersänger... Und jetzt auch noch Catz Wailen...
Cole: Hmm. Ich kenne Catz jetzt schon eine ganze Weile. Immer zu Beginn eines jeden Jahrzehnts kommt jemand wie sie daher. Um alles zu bereinigen. In den Sechzigern waren es Bob Dylan und Lou Reed und Hendrix, in den Siebzigern Patti Smith, in den Achtzigern John Lydon...
Overview: Damit stellen Sie sie ja in eine illustre Gesellschaft.

»Du dreckiger Bastard«, murmelte Cole. Er zwang sich zum Weiterlesen.

Cole: Sie verdient es, in dieser Gesellschaft zu sein. Mann, sie...
Overview: Vor einigen Jahren waren Sie auch in die Stadtpolitik verwickelt, zogen sich aber dann zurück.
Cole: Oh, ich habe ein paar Petitionen geschrieben und in Umlauf gebracht, die mir etwas Publicity einbrachten, schrieb ein paar Artikel, unterstützte einen Kandidaten... Nicht viel...
Overview: Trotzdem halten sich die Gerüchte, Sie wollten für das Bürgermeisteramt kandidieren.
Cole: Ich hatte daran gedacht. Aber ich kam zu dem Ergebnis, daß meine Chancen nicht gut waren. Klar, ich nehme schon an, daß ich in die Stadtpolitik verwickelt bin, in die Administration der Stadt, ja. In-

teressen, die jenseits der Unterhaltungsindustrie liegen. Ich identifiziere mich mit dem Ort. Daher sind seine Probleme auch meine.
Overview: Sie erregten einiges Aufsehen, als Sie sich dafür einsetzten, im Kleinhandel Barzahlung beizubehalten.
Cole: Es bewirkte nur, daß die BGE-Lobby die Leute eingeschüchtert hat.
Overview: Wovor fürchten Sie sich?
Cole: Vor der Macht der Organisation. Sie hat uns alle in der Hand, da sie praktisch alle Geschäfte kontrolliert. Eine gefährliche Situation. Angenommen, das organisierte Verbrechen – nur als Beispiel – bekommt Kontrolle über BGE. Da alle Transaktionen elektronisch durchgeführt werden, und man Elektrizität auch auf große Entfernungen kontrollieren kann, könnten sie uns alle... nun, aber ich glaube nicht, daß ich darauf näher eingehen sollte.
Overview: Soviel wir wissen, gehört Ihr Club zu denen, die eine Warnung von den Vigilanten erhielten.
Cole: Ja. Sie haben sie auf die Wand gesprüht. Es kostete mich zwei Stunden, die Schmierereien wieder abzuwischen. Aber sie täuschen sich – ich bin kein ›Befürworter‹ der Prostitution. Aber ich verdamme sie auch nicht. Menschen sind eben Menschen, sie werden immer ihre Prostituierten brauchen. Und nun, da sie halblegal ist, wie das Potrauchen, mit eigener Gewerkschaft und so, ist es für alle sicherer. Dieser neue Puritanismus ist absurd, Mann. Er ist suspekt.
Overview: Was meinen Sie mit suspekt?
Cole: Ich meine, diese Burschen sind zu gut organisiert. Sie bekämpfen die Laster, mit denen das große Geld gescheffelt wird – Glücksspiel, Prostitution –, aber sie wenden sich nicht gegen die neuen, entschärften Drogengesetze der Regierung, freie Schüsse für Junkies, freies Speed für Speedfreaks, um sie alle in der Hand zu behalten. Ich glaube, sie arbeiten für jemanden, der mit Lastern Geld verdient, und noch mehr machen will...

Der Schirm wurde blank und zeigte die Worte: BITTE EINGABE DER BGE-KARTE UND ABBUCHUNG EINES DOLLARS, WENN SIE WEITERE ZEHN MINUTEN LESEN WOLLEN. Cole verließ achselzuckend die Zelle. Er schlenderte nachdenklich zum Club zurück.
Der Lärm aus den Tavernen schwoll an und ab, während er an ihnen vorbeiging. Es war eine milde, warme Nacht. Er näherte sich dem Anästhesie. Catz' verstärkte Stimme echote von den Wänden um ihn wider. Er dachte an die Psiblitze, die sie ihm übermittelt hatte. Kälte kroch sein Rückgrat empor.
Er wartete vor der Tür, als Catz' Band verstummte, damit sie eines ihrer

Gedichte vortragen konnte. Cole lauschte den ständigen Geräuschen der Stadt. Er sah sich um und versuchte, seine Eindrücke zu ordnen. Was er suchte, war da. Die Präsenz der Stadt, das übergreifende Gestaltmuster, das ihre Vielfalt einte, die unsichtbaren Beziehungen zwischen den Glasscherben im Rinnstein und der Antenne der Limousine, die unsichtbare Verbindung zwischen dem Geruch von ausgekotztem Wein und dem Aroma der offenen Blumenläden... die Präsenz, die nur einem Narren nicht auffallen konnte. Denn wenn man sie verstand, ihre Attribute lernte, dann wußte man unwillkürlich, ob eine Mörderbande hinter der nächsten Ecke lauerte, oder ob im Bezirk ein Feuer auszubrechen drohte. Man verließ plötzlich einen Ort, ohne recht zu wissen warum, bis man am nächsten Tag darüber in der Zeitung las. Und diese Präsenz war augenblicklich gegenwärtig. Aber wenn der Fremde der war, für den Catz ihn hielt...

Dann verstand Cole. Die *Präsenz* war da, hier draußen. Aber die Persönlichkeit, das Gefühl wissentlicher Intelligenz hinter den summenden Aktivitäten der Stadt – das war fast verstummt. Es war lokalisiert. Hier draußen, auf der Straße, war es nur ganz schwach. Denn die Persönlichkeit der Stadt befand sich drinnen, sie wartete in Coles Club. Drinnen, und sie trug einen alten Schlapphut und eine Spiegelglasbrille.

Cole nickte sich selbst zu.

Ich versuchte auf neutralem Grund mit der Stadt als Ganzem in Kontakt zu treten...

Cole ging in seinen Club.

Da war er. Cole hatte keine Schwierigkeiten, den Mann mit der Spiegelglasbrille zu finden.

Catz stand auf Tuchfühlung mit ihm, als wäre er ein alter Freund. Cole drängte sich durch die Menge, seine Augen waren auf den Fremden gerichtet. Er wollte unbedingt mit ihm sprechen, dabei hatte er keine Ahnung, was er sagen sollte.

Cole blieb etwa einen Meter entfernt stehen und betrachtete sein doppeltes Spiegelbild in der Sonnenbrille. Catz sprach mit leiser Stimme nahe am Ohr des Mannes, aber die endlose Wiederholung der Discorefrains machte ihre Worte für ihn unvernehmbar. Ein Dutzend Fragen keimten in Coles Verstand auf. Alle schienen idiotisch. Aber er wollte fragen: ›Stadt, wo hast du meine Schwester Pearl verborgen? Sie ist Alkoholikerin, und ich habe sie seit acht Monaten nicht mehr gesehen. Ich glaube, sie ist tot oder irgendwo in Oakland. Oakland ist zwar nicht der Tod, aber definitiv ein Koma.‹ Und: ›Stadt, gibt es für mich keine bessere Wohnung als ein Zwei-Zimmer-Apartment im Mission District?‹ Und: ›Stadt, warum mußte mein bester Freund auf der Straße unter den Reifen eines Lastwagens sterben? Kannst du denn nichts gegen die Tramper unternehmen?‹ Und: ›Stadt, warum brachtest du mich dazu, diesen Nachtclub zu kaufen, wo doch alle meine Freunde mir rieten, für das Bürgermeisteramt zu kandidieren?‹ Aber Cole stellte keine einzige dieser Fragen. Er starrte in die Spiegelgläser, und irgendwie, völlig irrational, war ihm zum Heulen zumute. Er nahm seine Schürze ab und warf sie auf den Boden. Für heute nacht reichte es.

Eine Kellnerin sagte etwas zu Stadt. Die Discomusik wurde einen Augenblick leiser, so daß Cole hörte: »Die Leute an Tisch fünf wollen Sie zu einem Drink einladen, Sir.« Stadt nickte und folgte ihr durch den Wald von Regenmänteln und hautengen Hosen zum Tisch fünf, wo eine Gruppe Voguer mit ausdruckslosen Gesichtern wartete, die verzweifelt nach etwas Unterhaltung lechzten. Sie waren in spiegelnde Kleider und transparente Webplastikanzüge mit neonähnlich leuchtenden Säumen gekleidet. Sowohl Männer als auch Frauen trugen Straußenfedern und Jacken aus Leopardenfell – diesen Sommer waren aussterbende Tierarten der letzte Schrei der Mode.

Stadt war noch etwa zehn Meter von den Voguern entfernt, da verlor ihn Cole einen Moment aus den Augen. In Trenchcoat und Hut gekleidet war Stadt in der Menge untergetaucht, und als er etwa zehn Sekunden später wieder auftauchte, trug er eine glitzernde Weste aus Metallmaschen, einen rotseidenen Gürtel, Beinkleider aus gelbem Satin, keinen Hut, Sträflingsstiefel mit Spikes – aber immer noch dieselbe Spiegelglasbrille mit dem schwarzen Gestell.

Catz hatte recht gehabt. Die Stadt wandelte unter den Menschen.

Im Hintergrund stand Catz und hörte zu, wie Stadt mit der Gruppe am Tisch sprach. Cole konnte Stadts Gesicht nicht sehen, erkannte aber an den entsetzt-faszinierten Blicken der vier Lackaffen, daß er sich mit ihnen unterhielt. Catz lachte. Cole bahnte sich seinen Weg zum Tisch. Je näher er kam, desto lauter wurde die Discomusik, obwohl er sich von den Lautsprechern entfernte...

Normalerweise wurde ihm die Discomusik, die aus den riesigen Lautsprechern rund um die Tanzfläche dröhnte, während der Arbeit überhaupt nicht bewußt. Mit der Zeit hörte man einfach darüber hinweg. Jeder halbwegs Normale, der immer wieder dieselben Discolieder anhört, die sich auf einem Dauerspielband im Neunzigminutenrhythmus wiederholen, wird entweder verrückt oder versinkt im Koma. Die maschinenhafte Perfektion dieser Musik, der ständig gleiche Rhythmus, die emotionslose Instrumentierung, die hypnotische Unausweichlichkeit tausender Variationen immer desselben Themas – das sind die Irrgärten der Paranoia.

Aber momentan gab sich Cole Mühe, zuzuhören. Die Musik brachte ihn der Stadt näher.

Je näher er an Tisch fünf kam, wo die Voguer mittlerweile standen und

brüllten, desto lauter wurde die Musik. Die Stimme vom Band sang: GEH NÄHER RAN UND LASS ES NIE AUFHÖREN / DU KANNST DEN MANN SEIN MESSER WETZEN HÖREN / GEH NÄHER RAN UND LASS ES NIE AUFHÖREN / DU MUSST DEM GERÄUSCH DES MESSERS ZUHÖREN / GEH NÄHER RAN . . .
Das war der ganze Text, der computerkomponiert war, wie die Musik auch, und er wurde wiederholt, bis das Lied ausgeblendet wurde.
Er erreichte den Tisch. Stadt sprach nicht mehr mit ihnen. Nun wurde er Zeuge, wie einer der Voguer ein spitzes Messer aus seinem kniehohen Stiefel zog und es einem anderen der glitzernden Voguer zwischen die Rippen bohrte. Der Empfänger dieser kalten und unerwarteten Gabe zitterte, brüllte und fiel zurück, wobei er über einen weiteren Voguer stolperte, der offensichtlich versuchte, die Frau des Messerstechers zu vergewaltigen. Die Frau schlug dem Vergewaltiger mit einer Gummiflasche auf Kopf und Schultern. Catz und die Menge beobachteten amüsiert die Szene, aber Rich, der Rausschmeißer, blickte verärgert drein. Schließlich beendete er das Gerangel, indem er sie alle hinauswarf.
Stadt wandte sich an Cole. Stadt hatte nicht mehr die Plastikkleidung an. Er trug jetzt einen schwarzen Anzug, ein weißes Hemd und eine blau-weiß-gestreifte Krawatte – wie Cole. Stadt ging zur Tür. Cole folgte ohne zu fragen, er zweifelte keinen Augenblick. Catz gab ihrer Band ein Zeichen, mit der Instrumentalnummer aufzuhören, dann folgte auch sie.
Als Stadt auf den Gehweg trat, geschah ein Unfall mit fünf beteiligten Autos, als würde ihm der Verkehr selbst mit berstendem Metall seine Aufwartung machen. Ein Teil einer chromglänzenden Stoßstange zischte an Cole vorbei und grub sich in die Wand hinter ihm. Unter dem Ansturm urbaner Spannungen schien die Nacht Funken zu sprühen. Stadt betrachtete den Unfall, nickte, wandte sich ab. Über die immer noch blutenden und schreienden Voguer auf dem Gehweg dahinschreitend, folgten Stu und Catz Stadt dicht auf den Fersen. Sie betrachteten ihn aus den Augenwinkeln.
Hinter ihnen waren ein Benzoholford *Stomper*, ein gelber VW-Bus, ein goldener '69 Ford Falcon, ein weißer, dampfgetriebener Lincoln Continental und ein roter VW-Käfer aus fünf verschiedenen Richtungen ineinandergerast. Ihre verkeilten, eingedrückten Schnauzen bildeten ein Pentagramm aus verbogenem Stahl, verschmortem Gummi, auslaufendem Benzin, gesplittertem Glas und blutendem Fleisch.
Während sie Stadt die Straße hinunter folgten, schien aus seinem Torso zu dringen: die Discobandschleife, einfältig, monoton – die phonetische Reproduktion eines Stadtplans.
Die computerkomponierte Musik echote von den Mauern wider, brachte Ladenfenster zum Klirren und Cole zum Seufzen. Catz pfiff die Melodie mit, sie hüpfte unbeschwert und kickte gegen Mülltonnen.

»Was hat er denn zu den Voguern gesagt, daß sie einander an die Kehle gesprungen sind?« flüsterte Cole der summenden Catz zu, die gerade ihre Lederjacke schloß.
Sie lachte. »Er erzählte dem Mann mit dem Messer vom Sex, den sein bester Freund – den er niedergestochen hat – mit seiner Frau hatte. Der Mann mit dem Messer stach auf seinen Freund ein, weil er sein Liebhaber war und wohl mit niemand anderem herummachen durfte, außer mit *ihm*. Indem er die Frau des Messerstechers gefickt hat, ist er ihm untreu geworden.«
»Ich verstehe. Und der Vergewaltiger?«
»Der war der Bruder des Opfers. Sein Leben lang hat er seine Schwester begehrt. Stadt erklärte ihm, daß sie ein Verhältnis mit seinem älteren Bruder gehabt hat, sich aber von *ihm* abgestoßen fühlte. Trotzdem sah sie es gern, wenn er ihr nachstellte, aber sie würde ihn nie an sich heranlassen.«
»Und sie wußten, es war die Wahrheit. Und sie zweifelten nicht an seinem Wort.«
»Nein. Sie zweifelten nicht daran. Er ist so überzeugend wie eine Gewitterwolke. Zweifelst du etwa?«
»Nein. Ich bin hier, oder etwa nicht? Aber wohin gehen wir? Warum ist er heute nacht hier? Warum kam er zu uns? Und wie?«
»Er will sich selbst aus der Sicht des Betroffenen kennenlernen. Ein ganz natürlicher Wunsch. Er testet sich selbst, seine Reflexe. Er untersucht, wägt ab, erforscht. Wie? Das kollektive Unterbewußtsein erschuf einen Mann. Er läßt sie Wirklichkeit werden, er löst Spannungen, er entscheidet die Dramen des Lebens, indem er Schicksale ihrer Bestimmung zuführt.«
»Du gibst dich geheimnisvoll, nur um mich zu martern. Meine Verwirrung gefällt dir, Catz.«
»Erfreut, dich zu sehen, hoffe, du hast mich erkannt / Verwirrspiel wird mein Geschäft hier bei euch genannt.«
Sie befanden sich im Herzen der Samstagnacht. Die Leute strebten bereits ihren privaten Zielen zu, und sie sahen diese Ziele vor ihren geistigen Augen, sonst nichts, Ziele wie Karotten vor einem Esel. Daher bemerkten sie nicht, daß Stadt kein Radio und keinen Cassettenrecorder bei sich hatte, obwohl er unaufhörlich Discomusik abstrahlte.
In der Ferne verschmolzen die Straßenränder zu einer Patina glamouröser Skalen, gebrochener Schein von Neonlichtern, Straßenlampen, Scheinwerfern und Metall, ein Glitzern, das von Zigarettenrauch verwaschen wurde, vom Dampf aus Abwasserkanälen und Kohlenmonoxid.
Die warme Brise brachte einen Geruch nach gekochtem Essen und Müll mit sich. Cole fühlte sich elend.

Und er war nervös. In seinen Augen schien die Stadt unnatürlich lebhaft. Ihre Geräusche – pfeifende Jungen, brummende Motoren, klappernde Zahnräder – alles war zu laut.
Kopfschmerzen und Übelkeit machten ihm zu schaffen. Mehr als alles andere aber wünschte er sich, die Discomusik würde aufhören. Aber es kam ihm keinen Augenblick in den Sinn, von Stadts Seite zu weichen.
Als sie durch Chinatown kamen, war bereits die Hälfte aller Verkehrsschilder zu enigmatischen Ideogrammen geworden. Der Hügel wurde steiler, Coles Kopfschmerz pochte noch schlimmer. Auf der Kuppe des Hügels blieben sie stehen, um das Panorama zu bewundern. Die Lichter, die den Horizont begrenzten, erinnerten an die Ausstanzungen einer Computerlochkarte. Stadt betrachtete das Panorama. Die rechteckige Topographie der Stadtlichter wurde in seiner Brille widergespiegelt. Sein Mund öffnete sich kaum merklich, als er einen unverständlichen Namen hauchte.
Jungenhaftes Gelächter echote von links herüber. Stadt wandte sich in diese Richtung, einer dunklen Seitenstraße zu. Müll war neben den Hinterausgängen chinesischer Restaurants auf dem Gehweg aufgeschichtet: verfaulter Fisch und welkes Gemüse.
Fünfzehn Blocks lang gingen sie rasch und schweigend dahin, bis sie endlich Chinatown hinter sich gelassen hatten und einen steilen Hügel hinabgingen, in ein Renommierviertel mit hohen viktorianischen Häusern, die dicht gedrängt beieinander standen.
Abrupt blieb Stadt stehen und musterte ein Haus zu seiner Linken. Die Discomusik erstarb zu einem Summen.
Die Türen dreier nebeneinander gelegener Häuser flogen auf. Fünf Leute stürzten heraus, aus den beiden nächstgelegenen Häusern jeweils ein Paar, aus dem entfernteren eine alte Frau. Mit verzerrten Gesichtern hasteten sie ihre hölzernen Treppen und gewundenen Aufgänge herunter, auf Cole, Stadt und Catz zu, die unter einer Laterne warteten. Cole betrachtete Stadt. Er erstarrte. Stadt trug einen konservativen grauen Anzug und frisch geputzte, teuer aussehende, braune Schuhe.
Die Paare waren in mittleren Jahren und gehörten offensichtlich der gehobenen Mittelklasse an. Ein Mann und eine Frau mit breiten, deutschen Gesichtern und kurzgeschorenem, schwarz-grauem Haar; der Mann trug eine schmale schwarze Krawatte, die lose um seinen Hals hing, und die er nun, sich der Situation bewußt geworden, wieder band. Das andere Paar war in Pyjamas und Morgenmänteln gekleidet; der Mann war untersetzt und kahl, sein Mund unter dem Schnurrbart stand weit offen, die pantoffelgeschützten Füße scharrten nervös auf dem Gehweg. Seine Frau starrte Stadt durch dicke Brillengläser an, ihr mausbraunes Haar steckte in einem Haarnetz, in dem rote Plastikrosen schimmerten. In der rechten Hand

hielt sie eine Taschenlampe, in der linken eine kleine Pistole. Ihre dunkelumrandeten Augen waren schwarz, die Krähenfüße in den Winkeln tief. Sie sprach zuerst.
»Wozu der Alarm?« Sie wandte sich zu ihrem Haus, als erwartete sie, dort Flammen zu sehen. »Ich hörte...« Sie runzelte die Stirn.
Die andere Frau fiel ihr mit zitternder Stimme ins Wort. »Was haben *Sie* gehört? Wir hörten jemanden rufen: ›Alarm! Verlassen Sie Ihr Haus!‹ So verdammt laut, ich dachte, meine Trommelfelle würden platzen. Mein Gott, ich dachte schon, der Zivilschutz hätte...«
»Ja, ja, das haben wir auch gehört«, sagte der andere Mann mit einem schwachen, deutschen Akzent. »Es war eine offizielle Stimme: ›Alarm! Verlassen Sie Ihr Haus!‹« Sie wandten sich an Stadt, warteten auf eine Erklärung.
»Wollen Sie heute nacht Ihre Kinder sehen?« Zum ersten Mal hörte Cole Stadt sprechen. Er hatte eine kalte, aber vollklingende Stimme. Stadts Gesicht hatte sich wieder gewandelt. Noch immer dasselbe kräftige Kinn, aber nun war die Nase krumm und die Lippen zu einem quereligen Ausdruck zusammengepreßt, wie der eines Beamten irgendeiner Behörde. Immer noch dieselbe Brille. Seine Bewegungen waren brüsk und offiziell, als er in eine Tasche griff und eine schwarze Brieftasche hervorholte, die er öffnete, um ihnen eine Erkennungsmarke zu zeigen. Kriminalpolizei.
»Unsere... Kinder?« fragte die alte Frau und bemühte sich, Spannung zu verbergen.
»Ja. Wenn Sie mitkommen wollen. Lassen Sie Pistole und Taschenlampe in Ihrem Briefkasten und kommen Sie mit.«
»Jetzt? Zu nachtschlafender Stunde?« fragte die Matrone im schwarzen Kleid.
Stadt nickte. Er deutete in die Straße hinter ihnen.
Cole drehte sich um und war über die Anwesenheit zweier Taxen verblüfft, die mit offenen Türen warteten. Er hatte sie nicht kommen hören. Die Gesichter der beiden Fahrer waren im Schatten verborgen.
Es gab keine Diskussion. Alles stieg in die Taxen. Die alte Frau fuhr im selben wie Cole, sie saß auf dem Beifahrersitz. Die Paare fuhren im Wagen dahinter. Die Discomusik von Stadt, der neben Cole eingezwängt saß, klang leise und entfernt. Er bezweifelte, daß die alte Frau sie überhaupt hören konnte.
Catz saß rechts neben Stadt. Stadt preßte Cole gegen die Tür. Coles rechter Arm wurde gegen Stadt gedrückt. Er war hart und kalt wie Granit. Stadts Ellbogen, der teilweise auf seiner Hüfte lag, war schwer wie Eisen. Stadt saß unbeweglich und starrte geradeaus. Zum ersten Mal konnte Cole die Brille aus nächster Nähe begutachten.
Die Bügel der Brille lagen nicht auf Stadts Ohren. Sie reichten bis zwei

Zentimeter hinter die Gläser, dort versanken sie in den Schläfen, sie gingen randlos in Fleisch und Knochen über. Der Rahmen der Gläser fügte sich nahtlos an das Fleisch über den Augenhöhlen an, daher konnte Cole die Augen dahinter nicht sehen. *Wenn* es überhaupt Augen dahinter gab. Zwischen den Gläsern war kein Brückenstück. Der Rahmen schmiegte sich rechts und links an die Wölbung der Nase an. Die Spiegelglasbrille war Teil seines Kopfes.

Niemand hatte dem Taxifahrer die Richtung genannt. Und er sprach auch nicht, kein einziges Mal. Aber Stadt schien zu wissen, wohin es gehen sollte. Cole konnte kaum den Kopfumriß des Taxifahrers ausmachen. Das Taxameter zeigte immer noch Null, es hatte sich nicht gerührt.

Die hellen Lichtseen der Straßenlaternen glitten vorüber. Das Auto, ein brasilianischer Sabo, der mit Alkohol aus Zuckerrohr angetrieben wurde, schnurrte fast lautlos über die Straße. Die alte Frau auf dem Beifahrersitz schluchzte, Cole konnte sie immer wieder sagen hören: »Marie...«

Die Taxen blieben eine hinter der anderen stehen, und alle stiegen aus. Sie waren in der Hyde Street, ein paar Blocks vom Anästhesie entfernt im Tenderloindistrikt, dem Paradies der Nutten.

Ohne auf die Bezahlung zu warten, rollten die Taxen weiter. Der Mann mit dem dünnen Schnurrbart schlang seinen Mantel um sich und sah den Fahrzeugen verblüfft nach. Aus seinem Unverständnis wurde aber bald Verstehen, als er sah, daß der Polizist mit der Spiegelglasbrille verschwunden war und ihn um Mitternacht im Pyjama an einer Straßenecke zurückgelassen hatte, wo es von Prostituierten und Zuhältern nur so wimmelte, zusammen mit Catz und Cole, die sich zweifellos gleich auf ihn stürzen würden...

Cole tippte ihm auf die Schulter und produzierte ein Lächeln, von dem er hoffte, daß es beruhigend aussah. Cole fühlte sich zu einer Erklärung verpflichtet. Aber es wäre sinnlos gewesen, dem Mann erklären zu wollen, daß der finstere Mann mit dem breitkrempigen Hut und der Spiegelglasbrille, der sich gerade mit einem schwarzen Zuhälter unterhielt, eben der »Polizist« war, der sie hergebracht hatte, und eigentlich überhaupt kein Polizist war, sondern ein Mann, der eigentlich auch kein Mann war, den Catz »Stadt« nannte. Sinnlos.

Daher also: »Ihr Name, Sir?« fragte Cole freundlich.

»Chester Jones, und ich möchte Ihnen gleich mitteilen, ich bin Anwalt, und wenn hier irgendeine Art von...«

»Warum, um alles in der Welt, sind wir hier?« unterbrach ihn der ältere Mann im dunklen Anzug.

Cole wandte sich um und sah Stadt mit dem Zuhälter in einem der Gebäude verschwinden.

Damit war Cole auf sich gestellt. »Ich bin Detektiv Dubois«, log er.

»Ich... ich arbeite im Verborgenen. Was wir hier machen...« Er zögerte. Ja, was machten sie eigentlich hier? Er bluffte. »Wir sind hier, um Ihnen Ihre Kinder zu zeigen.«
»Meinen Roy? Haben Sie ihn gesehen? Roy Jones? Er ist...« begann Mrs. Jones. »Er ist ein großer, blasser Junge...«
»Mein Roy! Mein Roy!« kreischten die Nutten, von Lachanfällen geschüttelt. Eine schwarze Frau mit blonder Perücke und silbernem Lidschatten schlug gegen die Handflächen einer weißen Frau, die eine schwarze Perücke trug und dunklen Lidschatten aufgetragen hatte. Sie äfften abwechselnd Mrs. Jones' Verzweiflung nach, indem sie die Hände rangen und sangen: »Mein Roy-ee! Mein lieeeber Roy-ee!«
Die Frau im schwarzen Morgenmantel ignorierte die Huren und fragte Cole: »Lucille Schmidt?« Sie beugte sich herüber und durchbohrte ihn mit ihrem Blick. »Haben Sie sie gesehen?«
»Ah, wir werden uns um alles kümmern, Ma'am«, versprach Cole, da ihm nichts Besseres einfiel. Er nahm Catz beiseite. »He, Catz, du könntest das für mich psichen. Hast du eine Vorstellung, was er mit ihnen vorhat? Ich meine, wenn ihre Kinder der Prostitution nachgehen, was hat es dann für einen Zweck...«
»Er wird sie auf die eine oder andere Art mit ihren Eltern konfrontieren. Entweder kommen sie mit ihren Eltern und raufen sich irgendwie mit ihnen zusammen – oder sie beenden die Beziehungen auf andere Weise, indem sie sie zerstören. Ihn kümmert das nicht, solange damit ein Problem aus der Welt geschafft wird. Er testet nur. Sinnlos, darüber zu richten. Prostituierte sind ein Teil der Stadt, er ist ihnen nicht feindlich gesonnen.«
»He, hast du jemals eine Nutte gesehen, die einfach so wieder nach Hause zurückging – über Nacht? Gerade eine von den jüngeren, gerade wo alle anderen zusehen. Als ich noch ein Strichjunge war, da...«
»Scheiße, erinnere dich daran, als du noch Einbrecher warst, Stu. Du hast mit diesen Idioten in der Dreiundfünfzigsten in New York gelebt, nicht wahr? Gab es da nicht auch Zeiten, wo es dir so elend und dreckig ging, daß du freudig mitgekommen wärst, hätten deine Eltern sich gezeigt... ja? Gab es solche Augenblicke nicht?«
»Yeah. Klar. Manchmal, 'n paar Minuten. Und wenn mein Alter den richtigen Zeitpunkt erwischt hätte... Ich verstehe, was du meinst. Und ich glaube, Stadt weiß genau, wann die Zeit reif ist. Aber warum macht er sich die Mühe, äh...«
»Wenn man etwas über chemische Prozesse erfahren will, muß man notwendigerweise verschiedene Chemikalien zusammengeben«, unterbrach ihn Catz und deutete zur Treppe: Da stand Stadt und führte einen Teenager vor sich her.

»Mutter, was, zum Teufel, machst *du* denn hier?« fragte das Mädchen, das die Treppe herunterkam. Sie war klein, pummelig und blond. Sie trug enge, kurze Höschen und einen knappen Pullover, ihr Haar war gefärbt, billiges Make-up. Sie machte ein wenig auf Schulmädchen – das gefiel den Freiern.
Sie betrachtete ihren Vater. Ihre Mutter lief zu ihr und Lucille erwiderte die Umarmung, sie warf den anderen Nutten entschuldigende Blicke zu und rollte mit den Augen... Aber zwei Minuten später wollte sie ihre Mutter nicht mehr loslassen. Sie weinte. Und die lachenden Huren bedachte sie nur mit einem leise gezischten »Haltet's Maul, blöde Fotzen!«
Ihr Vater stand steif daneben und versuchte, seine Tochter mit strengem Blick zu betrachten, als Stadt – wieder in der einfachen Kleidung eines Zivilbullen – sich an Mr. Schmidt wandte: »Ihr selbstgefälliges Gebaren ist unangebracht. Im Jahre 1986 zahlten Sie fünftausend Dollar an einen Mann in einem blauen Chevrolet. Erinnern Sie sich, aus welchem Grund Sie das Geld bezahlt haben?«
Schmidt sah in Stadts Gesicht. Im Angesicht der Verkörperung von ganz San Francisco in einem Mann war leugnen zwecklos.
Schmidts Gesicht, eben noch eine Maske der Unnahbarkeit, mit der er seine Tochter verurteilt hatte, zuckte krampfhaft. Er weinte und legte seine Arme um Mutter und Tochter.
Mr. und Mrs. Chester Jones standen händchenhaltend unter einer Laterne.
»Sie wollen mir doch nicht weismachen, daß mein Junge hier ist...« begann Mr. Jones.
»Diese Bar«, sagte Stadt bestimmt und deutete zum Back Door Club, einen halben Block nördlich. »Er geht auf den Strich, er verkauft seinen Arsch für 'nen Schuß. Er ist da drinnen. Suchen Sie ihn...« Stadt legte Jones einen Arm auf die Schulter. Jones erschauerte und zog seine Frau enger an sich.
»Mir ist komisch zumute«, sagte er. »Als wäre jemand *in* mir...«
»Roy wird keinen Widerstand leisten. Berufen Sie sich auf meine Autorität. Legen Sie einfach den Arm um ihn, und er wird mitkommen. Er ist reif zur Aufgabe. Berühren Sie ihn, aber sagen Sie nichts – und richten Sie niemals über ihn.«
»Ich kann da nicht reingehen wie ein *Straßenpunk*«, widersprach Jones. »Ich bin Anwalt. Ich bin der Hausanwalt von Ivory Meats, und das ist ein Job mit Verantwortung gegenüber dem Firmenruf und... nun, wenn das ein Aufenthalt für Straßenjungs ist, dann werde ich da nicht einfach hineingehen wie ein Straßenjunge...«
»Wir alle müssen auf Straßen gehen«, sagte Stadt. »Oder können Sie fliegen? Gehen Sie.«

Mit langsamen Schritten gingen Mr. und Mrs. Jones die Straße hinab, hielten ihre Morgenmäntel eng zusammen und verschwanden durch die Tür des Back Door Club.
Es war ein Uhr nachts. Der Verkehr war nur spärlich, die Straßen waren fast verlassen, ihre Stimmen echoten von den Häusern wider. Dann: »Marie!« schrie die alte Frau, die auf den Stufen saß. Sie stand auf und drängte sich durch die Schar kichernder Huren. Einen Block weiter unten blieb eine spindeldürre Gestalt erstaunt stehen. »Marie!« rief die alte Frau wieder und rannte auf die schemenhafte Gestalt zu.
Marie wandte sich um und lief in die Gegenrichtung. Ihre Stimme übertönte kaum die Geräusche der Stadt: »Verpiß dich und laß mich allein!« Sie war etwa einen halben Block von ihrer Mutter entfernt, lief aber schneller als diese. Stadt nickte fast unmerklich mit dem Kopf. Die Erde bebte kurz. Marie stolperte. Sie fiel auf das Gesicht und blieb eine halbe Minute benommen liegen. Lange genug, damit ihre Mutter sie erreichen konnte.
Der schwarze Zuhälter in dem grünen, doppelreihigen Seidenanzug hastete die Stufen herunter und deutete mit dem Finger auf Stadt. »Für wen, zum Teufel, hältst du dich eigentlich, du Arschloch? Hä? Wo ist denn der Bruder, der hier war? Der von vorhin?« Als Stadt nicht antwortete, richtete der Mann seine eigene Brille, Spiegelglas blickte in Spiegelglas und reflektierte die Glasmaske unendlich. »Willst mir wohl die Leute abspenstig machen, oder was? Du bist kein verdammter Bulle, du Arschloch! Ich hab' alles mit den Jungs abgemacht, aber das gehört *nicht* zur Abmachung. He, ich sprech' mit dir, du Arsch. Ich verlier die süßen Püppchen, ich verlier zweihundert Piepen täglich...« Er verstummte.
Er keuchte. Er stöhnte.
Mit ausgestrecktem Arm, nach unten gesenkter Handfläche mit gespreizten Fingern, überflutete Stadt den Bürgersteig mit altmodischem Bargeld. Hundertdollarscheine regneten aus seiner Handfläche, sie materialisierten in der dünnen Luft zwischen seinen Fingern und segelten leise raschelnd zu Boden. Reflexe gewannen die Oberhand, niemand stellte das Phänomen in Frage.
Der Zuhälter und die Nutten sanken auf die Knie, um sich das Geld zu schnappen. Cole nahm ebenfalls eine Banknote auf und untersuchte sie. Sie war echt. Er steckte sie in die Tasche. Als Stadt den Arm senkte und damit den Geldregen beendete, lagen mindestens zehntausend Dollar auf dem Gehweg. BZV machte Geld zwar für die meisten Transaktionen sinnlos, aber die Noten konnten beim Institut für Bargeldlosen Zahlungsverkehr gegen Kreditkarten eingetauscht werden. Eine der Huren, eine Chicano mit fluoreszierendem Lippenstift und einer aufgetürmten blonden Perücke, beschloß, der Geldquelle selbst etwas Gutes zu tun. Sie um-

schlang Stadt mit den Armen und griff mit einer Hand zwischen seine Beine. Cole betrachtete ihre suchenden Finger. Stadt bewegte sich nicht. Die Frau preßte ihre Hand fest zwischen seine Schenkel. Und wich entsetzt zurück. »Er... äh, ist wie...« sie erschauerte. »Er ist ganz...« Sie bedeckte mit einer Hand den Mund, wandte sich um und rannte die Stufen hoch, wo sie im Gebäude verschwand.
Mr. und Mrs. Jones kamen zurück, sie hatten einen schlanken jungen Mann zwischen sich.
Alle drei weinten. Aus drei verschiedenen Gründen. Mr. Jones weinte, weil er Hausanwalt einer Fleischverpackungsfirma war, die der Mafia gehörte und im Grunde genommen nur als Deckorganisation für einen Schmugglerring diente, und weil sein Sohn ein Strichjunge war und er, so sehr er sich auch bemühte, kaum einen Unterschied in ihren beiden Berufen feststellen konnte. Und seine Frau weinte um ihren Sohn, und sein Sohn weinte um seinen Stoff.
Weiter unten auf der Straße kämpfte Marie mit ihrer Mutter. Sie rollten auf dem Gehweg, traten einander und schlugen aufeinander ein, beide waren in Tränen aufgelöst. Ohne nachzudenken ging Cole auf sie zu. Die Discomusik, wie der elektronische Spott eines Grabgesangs, begleitete ihn. Je näher er den beiden kam, desto lauter wurde sie. Als er Marie und ihre Mutter schließlich fast erreicht hatte, donnerte das Lied in seinen Ohren, eine der Gestalten bewegte sich nicht mehr. Die andere hob einen Arm hoch und schlug mit aller Gewalt auf den leblosen Körper ihrer Mutter ein. »Marie...« murmelte Cole.
Er hörte erschrockene Rufe hinter sich.
Die Discomusik verstummte abrupt.
Cole wandte sich um und rannte auf Stadt und Catz zu.
Drei gelbe Sedans hatten ein U geformt und riegelten so den Eingang des Gebäudes ab, vor dem der Zuhälter, die Nutten und Catz sich immer noch die Taschen voller Geld stopften. Stadt stand breitbeinig da und starrte in die Scheinwerfer.
Ein Taxi, so schattenhaft wie dasjenige, das sie hergebracht hatte, fuhr vorüber. In ihm saßen die Jones, die Schmidts und ihre Kinder. Das Taxi ordnete sich links ein, bog ab und war verschwunden.
Catz stand auf und blinzelte in die Scheinwerfer, während Cole sich ihr näherte.
Ein Mann mit einer schimmernden Waffe in der Hand stieg aus einem der Wagen aus.
»Catz, runter!« rief Cole. »Vigilanten!«
Sechs Männer, deren Gesichter hinter übergezogenen Strümpfen verborgen waren, stießen die Nutten und ihren Dompteur gegen die Wand. Der Zuhälter versuchte, ihnen ihr Vorhaben auszureden, er winkte mit Geld-

scheinen. Einer der Vigs kickte ihm in den Magen. Als er vornüberklappte, schlug ihm ein zweiter mit einem Gewehrkolben in den Nacken. Grünsamt fiel flach auf den Boden.
»He, damit beeindruckst du niemand, Arschloch!« sagte eine der Huren.
Das Gewehr ging los, roter Rauch und klagende Echos, das rechte Knie der Hure explodierte. Sie fiel, ihre Freundinnen beugten sich klagend und weinend über sie.
Cole verlangsamte in einer Entfernung von etwa zehn Metern seinen Schritt und hielt sich im Schatten. Die Vigilanten hatten ihn noch nicht bemerkt, dazu machten sie selbst zuviel Lärm. Sie schubsten die kreischenden Strichbienen herum und lachten dabei. Vier waren in dem Stundenhotel verschwunden, um die restlichen Nutten herauszutreiben. Sie wollten sie wahrscheinlich alle auf einmal töten. Ein Polizeiauto fuhr in die Straße ein, aber als die Bullen die vertrauten, unangemeldeten gelben Sedans der Vigs bemerkten, wendeten sie und fuhren weg. Sie konnten später immer noch vorgeben, durch einen dringenden Notfall weggerufen worden zu sein.
Zwei der Männer mit den Strumpfmasken riefen Stadt etwas zu, einer gab ihm einen drohenden Schubser. Oder versuchte es... dann hielt er sich die verletzte Hand, während der andere Stadt mit dem Gewehrkolben ins Gesicht schlug. Stadt blieb wie angewurzelt stehen. Er trug wieder seinen Schlapphut und den Trenchcoat. Und die Spiegelglasbrille.
Der kleinere der beiden Männer feuerte mit seiner Pistole in Stadts Solarplexus. Dreimal. Stadt wankte etwas, zeigte aber sonst keinerlei Wirkung. Er stand mit eng an die Seiten gepreßten Armen. Er öffnete den Mund...
Eine Sirene heulte aus seinem geöffneten Mund los. Cole preßte die Hände auf die Ohren. Die Fenster neben ihm klirrten beängstigend, der Kitt zerbröselte zu Staub. Es war eine Alarmsirene, die mit fünfzigfach verstärkter Lautstärke aus Stadts Kehle drang. Das *konnte* die Polizei nicht überhören. Sie konnten nicht vorgeben, ein so lauter Alarm habe nicht stattgefunden.
Die Vigilanten zogen sich in ihre Wagen zurück, auch sie hatten die Ohren geschützt.
Der Sedan, der in Stadts Richtung stand, stieß bis zum Rand zurück, bremste und schoß dann mit quietschenden Reifen vorwärts. Er krachte frontal gegen Stadt. Das Auto prallte ab und wurde zurückgeworfen, der Motor heulte auf. Stadt stand immer noch. Aber er schüttelte den Kopf, als wolle er eine leichte Benommenheit wegwischen. Blut tropfte aus seinem Hosenbein hervor und auf die Schuhe. Ein dünner Faden sickerte aus einem Mundwinkel. Die heulende Sirene bekam einen gurgelnden Unterton, verstummte aber nicht. Die Prostituierten wichen zurück. Sie

rannten an Cole vorbei die Straße hinunter und verschwanden um eine Ecke. Eng an die Wand gedrückt, die Ohren bedeckt, schlich Catz zu Cole und ließ die Wagen der Vigilanten nicht aus den Augen. Als er sie erreicht hatte, zog er Catz in eine dunkle Toreinfahrt.
Der Wagen fuhr wieder vorwärts. Der Motor stotterte. Ein zweiter Wagen fuhr bereits an Cole vorbei die Straße hinunter. Er wendete. Cole sah sich nach etwas Werfbarem um. Aber der Wagen hatte schon die Beschleunigung eines ganzen Blocks hinter sich, als er gegen Stadt prallte. Dieses Mal fiel Stadt um, das Auto fuhr über ihn hinweg und krachte gegen die Hauswand neben der Treppe... Der Fahrer riß den Wagen herum und er schlitterte an der Hauswand entlang. Betonstaub und Dampf vermengten sich. Dann war alles still, abgesehen von den klopfenden Geräuschen der Automotoren.
Alles war still – fünf Sekunden lang. Bis eine Polizeisirene zu hören war, die unaufhaltsam näher kam.
Der Motor des zerschrammten Sedan sprang auch wieder an. Er schoß hinter dem zweiten Wagen her, der bereits einen halben Block entfernt war.
Cole betrachtete Stadt. Stadt war ein lebloser Haufen Fleisch und Kleidung, der ein paar Schritte entfernt lag. Der Leichnam war kaum noch als der eines Menschen erkennbar. Cole betrachtete das Panorama San Franciscos, als würde er jeden Augenblick erwarten, die Stadt erbeben und einstürzen zu sehen. Aber sie stand so solide wie eh und je. Daher war trauern sinnlos.
Cole betrachtete die rote Blutlache, deren Finger rasch über den Gehweg zum Rinnstein griffen.
Die beiden Sedans bogen gerade um die Ecke.
Während er auf den nicht umsonst gewesenen Blutstrom Stadts starrte, wußte Cole, daß sie es niemals schaffen würden.
Catz wußte es auch, und sie lachte hell auf.
Die Straßenlampen, die sich den Vigilanten in den Weg warfen, bogen sich nicht nur, als würden sie aus Gummi bestehen, sie *schnappten* wie zornige Peitschen herab und schmetterten mit ohrenbetäubendem Lärm auf die Straße. Sie versperrten den Sedans auf beiden Seiten den Fluchtweg. Sechs der verbleibenden acht Vigilanten sprangen panisch aus den Autos, fluchten und rissen sich die Masken von den Köpfen. Zwei rannten Seite an Seite südlich. Beide wurden gleichzeitig von den schwarzen Ranken aufgehalten, die durch den Asphalt an die Oberfläche brachen. Zuerst hielt Cole sie für immense Finger aus schwarzem Metall. Als er genauer hinsah, erkannte er aber vier Leitungsrohre, die wie die Bügel gigantischer Mausefallen auf die beiden Männer herabschlugen. Die Männer waren augenblicklich tot. Als Cole sich nach den vier anderen umsah, wa-

ren auch diese schon tot. Fette blaue Funken tanzten immer noch von den abgerissenen Hochspannungskabeln und verschmorten die zuckenden Körper.
Plötzlich bäumte sich der Boden unter dem letzten, allein fahrenden Sedan mit aller Macht auf. Zwei weitere, dreißig Zentimeter dicke Rohre stießen durch den Asphalt, versprühten Asphaltbrocken und Staub um sich und bohrten sich mit häßlichem Knirschen auf beiden Seiten des Motorblocks durch die Ölwanne. Sie drückten den Motor halb aus der zerstörten Karosserie heraus. Verbogene Metallteile flogen durch die Luft, gefolgt von Dampf und Rauch, der aus den verkeilten Wagen aufstieg. Das Auto zitterte leicht auf den Spießen, die Vorderreifen drehten sich nutzlos in der Luft, dann explodierte der Tank und verschlang das Auto in einem schwarz-roten Flammenmeer.
Einen der Männer hatte es buchstäblich in Stücke gerissen, der andere war durch die Windschutzscheibe geflogen und umarmte nun auf unnatürliche Weise den glühenden, brennenden Motor, wo zuvor die Haube gewesen war. Verbogene Metallstreben ragten aus seinem Rücken.
Öliger, schwarzer Rauch stieg auf und verwandelte die herabstarrenden Gesichter in dämonische Fratzen.
Die Sirenen kamen immer näher, inzwischen hatte sich auch noch die Glocke eines Feuerwehrautos dazugesellt. Cole stimmte in Catz' Lachen ein.
Kinder rannten vorbei, um den Unfall zu bestaunen. Cole verstummte und dachte daran, heimzugehen.
»Kann ich heute nacht bei dir bleiben?« fragte Catz. Als größere Menschenmengen aus den Bars und Freudenhäusern herauskamen, begannen sie ohne Eile davonzuschlendern.
»Um Himmels willen, was iss'n hier los?« fragte ein Chicano auf einem Motorrad. Cole zuckte die Achseln und ignorierte ihn.
»Klar, Catz«, antwortete er, »du bist jederzeit willkommen. Ich habe noch eine Couch, die man auseinanderklappen kann.«
»Hier ist jemand überfahren worden!« rief jemand hinter ihnen.
Cole blickte über die Schulter zurück. Stadts Spiegelglasbrille schien intakt und ihnen nachzublicken.
»Großartig«, sagte Catz. »Vielleicht können wir fernsehen oder so etwas.« Cole drängte sich durch die Menge, sah jemanden auf dem Gehweg an, stieg über die Leiche von Maries Mutter und ging dann ohne einen Blick zurückzuwerfen weiter.
»Klar«, sagte Cole. »Ich hab' Kabelfernsehen, Catz. Da müßte was kommen.« Er zuckte die Achseln. »Es ist noch nicht zu spät zum Fernsehen.«
Und das taten sie dann auch. Sie bewunderten einen Schauspieler, der Kennedy in *PT-109* mimte. Und hinterher saßen sie schweigend am Fen-

ster und betrachteten die Lichter der Stadt, bis diese mit Einbruch der Dämmerung erloschen und die Stadt sich grimmig auf den kommenden Tag vorbereitete.

ZWOH!

Cole starrte die Nachricht ungläubig an. Es war ein diesiger, nasser, windiger Maimorgen, und er stand in seiner Wohnungstür und las immer wieder die Nachricht, die mit der Post gekommen war. »Hätte an einem solchen Montag gar nicht anders kommen können«, murmelte er vor sich hin. Er befingerte die gelbe Computerkarte, deren rechteckige Löcher wie Fenster einer Hausfassade eingestanzt waren und musterte die leuchtend rot aufgedruckten Buchstaben: BITTE ENTRICHTEN SIE DIE SUMME VON $ 3000,– ; EINZUGSINSTITUT, REGISTRATUR. ZAHLBAR AN J. SALMON, BUREAU ELECTRONIC DISBURSEMENT: DIE LÄNGST FÄLLIGEN ABGABEN...
»Längst fällige Abgaben«, äffte Cole. Der Kaffeegeschmack in seinem Mund (er hatte Sodbrennen, eigentlich sollte er auf nüchternen Magen gar keinen Kaffee trinken) war plötzlich sehr sauer geworden. *Der Geschmack der Korruption,* dachte er und spie in den Aschenbecher im Flur.
Er ging mit der Karte in sein Apartment und schloß die Tür hinter sich. Nachdenklich legte er die Karte auf den staubigen Fernseher. Dann ging er zur Nachrichtenbox, die neben dem Fernsehgerät montiert war, drückte den Knopf und wartete, während der Fernseher sich aufwärmte. Schließlich überflog er die Frontseite, die auf dem Schirm zu sehen war.
...*BZV-Abkommen unterzeichnet*... Er ließ weiterspulen, bis er das Gewünschte gefunden hatte... *soll die Umstellung auf das Elektronische Zahlungssystem bis November 1994 endgültig abgeschlossen sein, obwohl die Gouverneure von Louisiana und Washington protestierten und für eine längere Zeitspanne plädierten... Senator Wiley stellte sich dagegen auf den Standpunkt, es sei bereits genügend Zeit verschwendet worden und verlas eine lange Liste von Städten, in denen der Bargeldlose Zahlungsverkehr bereits eingeführt wurde... UN-Resolution für Petition des Globalen Elektronischen Zahlungsverkehrssystems...*
Und dann erlosch die Nachrichtenseite. Cole blinzelte verwirrt. Er sah zur Steckdose. Das Set war angeschlossen. Ein anderes Bild erschien, ein Zeichentrickfilm, *Crazy Graffiti,* ein elementares Pornographieprogramm für Kinder: Männliche Genitalien, losgelöst vom Körper, abgesehen von eigenen, winzigen Beinchen, verfolgten eine gleichermaßen ausgestattete

weibliche Vagina. Er schaltete ab und sah die sich irrsinnig bewegenden Genitalien verblassen. *Was, zum Teufel?* dachte er. Er schaltete wieder ein und aktivierte die Nachrichtenbox. »Was, zum Teufel, ist mit den Nachrichten los?« murmelte er. Keine Nachrichten. Statt dessen – Buchstaben, elektronischer Schrifttyp: NACHRICHTENBOX-SERVICE SPERRT NACHRICHTENÜBERMITTLUNG WEGEN UNTERLASSENEN ABGABEZAHLUNGEN...

»Hurensöhne!« tobte er und schaltete das Set ab, bevor *Crazy Graffiti* nochmals erscheinen konnte.

Er ging zum Telefon. Seine Finger preßten automatisch die Knöpfe, und er beobachtete den kleinen Bildschirm ungeduldig. Innerlich kochend wartete er darauf, daß das Bild seines Anwalts aufleuchtete.

»Arthur Topps Büro. Kann ich Ihnen helfen?« fragte die Stimme eines jungen Mannes. Das war Arts Sekretär. Und Geliebter.

»Yeah...« begann Cole und sah den blanken Schirm an. Argwohn stieg in ihm auf. »Ich muß ihn sprechen. Hier ist Stu Cole.«

»Ziehen Sie es vor, ohne Bild zu sprechen?« Die Stimme des Jungen klang zornig. Es galt als unhöflich, wenn man anrief, ohne sich selbst zu zeigen. Die angerufene Partei dagegen konnte ihren Schirm blank lassen.

»Äh, nein... mein Schirm ist kaputt. Benötigt 'ne Reparatur.«

»Ich verstehe.«

Eine Pause, ein Klicken. »Stu? Wo ist Ihr Bild? Oder wollen Sie mir nicht zeigen, wie Sie an einem Montagmorgen aussehen?«

Topps Stimme. Kein Bild.

»Das Bild ist weg. Sie haben es abgestellt. BZV. Sie haben auch meine Nachrichtenbox abgestellt. Sie wollen mich zum Bezahlen zwingen. Ich glaube, sie werden auch verdammt bald den Ton abschalten.«

»Mutter BZV ist hinter Ihnen her, nicht wahr?«

»Was soll denn diese blöde, sarkastische Anspielung, eh? Glauben Sie, es gibt keine Verbindung zwischen Bell Telephone und BZV. Es muß eine geben...«

»Okay. Sie schulden ihnen also Geld?«

»Ja, ich... Nein! Sie *behaupten*, ich würde es ihnen schulden. Daher brauche ich Ihren Rat.«

»Sie haben immer noch Schulden bei *mir*.« Topps Worte klangen eher amüsiert als anklagend.

»Äh, hmm... Ich werde augenblicklich bezahlen, und die Hälfte Ihres Honorars im voraus. Hören Sie zu, es geht um diese leidigen Abgaben.«

»Oh.« Ein Unterton von Verzweiflung schwang plötzlich in Topps Stimme mit. »Das.«

»Hören Sie, so etwas kann doch angefochten werden...«

»Wenn Sie es vor das Bundesgericht bringen wollen. Aber das dauert seine Zeit. Lange Zeit. Die Gerichte haben mit dem atomaren Terroranschlag in Oregon noch immer alle Hände voll zu tun. Die ganzen Klagen, die dort laufen...«

»Was? Aber wen klagen sie an? Der Kerl wurde nie gefaßt, wie können sie...?«

»Sie klagen die Regierung an, weil das FBI den Burschen zwischen den Fingern durchschlüpfen ließ. Sie verklagen sie auf Schadenersatz. Ich meine die Familien von ein paar hunderttausend Leuten, weißt du – Angehörige auf dem Land, Verwandte. Es ist dumm von den Gerichten, diesen Klagen auch nur Beachtung zu schenken, weil sie genau wissen, sie schaffen damit einen Präzedenzfall, wenn sie jemandem etwas ersetzen – und dabei wissen sie, daß der Kerl jeden Augenblick wieder zuschlagen kann und eine andere Stadt, vielleicht diese hier, zu einer Pilzwolke verpufft, weil so ein Bursche mit zwei Jahren College rumbastelt und ausprobiert...«

»Yeah, nun – vielleicht weisen sie alle ab. Egal, wir müssen irgendwo anfangen...«

»Ich meine«, unterbrach ihn Topp irgendwie hastig, »diese ganze verdammte Stadt, ganz Salem, Oregon, einfach *verschwunden*, nur noch ein Krater, und, verdammt noch mal, es könnte auch hier passieren. Natürlich führt das zu einem sozialen Trauma, und sogar die Gerichte suchen verzweifelt nach einem Schuldigen, da das Unvermögen des FBI...«

»Das erzählen Sie mir doch nur, weil Sie sich um ein Gespräch über die Abgaben herumdrücken wollen!« sagte Cole wütend. »Kommen Sie schon!«

»Wie Sie wollen.«

Es folgte eine Stille, die nur vom Knistern des Lautsprechers unter dem Vidschirm unterbrochen wurde. Der Schirm befand sich über der roten Plastikwählscheibe des Telefons.

Dann sagte Topp: »Kann ich nicht machen. Wir wissen beide, daß das Mist ist. Das ist eine BZV-Angelegenheit auf höchster Ebene...«

»Ja. Aber das interessiert mich nicht im geringsten. Ich bin es gewöhnt, solche Forderungen zu begleichen. Aber sie wollen diese Nachzahlung auf *einmal* von mir – ich meine, sie lassen jeden anderen neu anfangen, Mann. Jahre zu zahlen. Von *mir* wollen sie eine Nachzahlung für die ganze Zeit, in der ich BGE-Einheiten benützt habe... und wissen Sie auch warum?«

»Warum?« fragte Topp, obwohl er es wußte. Cole konnte ihn an seiner Zigarette ziehen hören.

»Weil ich die Nutten in meinen Club reinlasse und die sich um die ganzen Steuern und Zahlungsaufträge herumdrücken und BZV sie organisieren will, aber sie wollen sich nicht organisieren lassen.«

»Gefährliche Sachen, die Sie da von sich geben – hört sich an, als wären sie der Mob, um Himmels willen.« Topp warnte ihn dadurch, daß die Wanzen des BZV wahrscheinlich mithörten.
»Nennen Sie es, wie Sie wollen«, sagte Cole. »Sie haben es auf mich abgesehen – sie haben mich gewarnt – und sie wissen genau, daß ich es war, der die Petition geschrieben hat, Kleinläden weiterhin Bargeld benützen zu lassen, und sie wissen auch, daß ich es war, der...«
»Zum Teufel, Cole!«
»Nein, ich werde den Mund nicht halten, Topp! Sie *wissen* alles. Wenn sie mithören, erfahren sie nichts Neues mehr, Mann.«
»Okay. Sie wissen, daß Sie es waren, der die Initiative gegen die Vollelektronisierung schrieb.« Topps Stimme klang müde.
Cole zögerte. Ihm war etwas Neues gekommen. »Topp, haben sie...?«
»Nur Drohungen.«
»Sie werden meinen Fall also nicht annehmen?«
»Nein, weil ich nicht aus der Anwaltsvereinigung hinausfliegen möchte.«
»Sie können mir doch nicht erzählen, daß diese Scheiße *legal* ist, Mann. Sie können doch nicht...«
»Passen Sie auf, die hiesigen Richter haben ihre eigenen Konten, und BZV kann immer einen Grund finden, jemand den Kredit zu sperren, wenn er sich nicht fügt. Sie werden wahrscheinlich in der ganzen Umgegend niemanden finden. Und, wie schon gesagt, die Gerichte sind auf Monate hinaus ausgebucht. Sie konnten sich an sie wenden, hm...« Er zögerte, fuhr dann widerwillig fort: »Nun, passen Sie auf... äh...«
»Wollten Sie mir einen guten Rat erteilen?« fragte Cole bitter.
»Ich muß essen gehen. Geschäftsessen, sehr wichtig.«
»Yeah, das kann ich mir vorstellen. Hoffentlich beißen Sie sich nicht die Zähne daran aus«, schnarrte Cole und schaltete ab.
Dann nahm er abwesend eine Zigarre aus dem Schrank neben sich, zündete sie an, klemmte sie zwischen die Zähne und paffte grübelnd. Die Hände steckte er in seine Taschen. Er ging zur Couch, setzte sich und starrte ins Leere.
Das niedere, rote Sofa mit den Kissen stand in einer Ecke des Raumes. Er saß dem blanken Fernsehschirm direkt gegenüber. Ansonsten war das ganze Wohnzimmer weiß. Die Lampen waren in der Decke versenkt. Coles Fotografien bildeten die einzige Dekoration: Bilder der Stadt. Der Stadt. Cole war Amateurfotograf.
»Ich werde meine Kamera nicht verkaufen«, murmelte er vor sich hin, als er die Fotos ansah. »Nicht meine Nikon. Dann schon lieber den Club.« Er sog an der Zigarre und sagte: »Hör auf, mit dir selbst zu reden, Idiot.« Dann lachte er.

Da waren mehr als dreißig mattglänzende Schwarzweißfotos. Sie hingen in einer Form an den Wänden, die etwa den Häuserblocks nachempfunden war. Bei den meisten handelte es sich um sehr detaillierte Luftaufnahmen, die er aus einem öffentlichen Kopter gemacht hatte.
Ein genereller Überblick über die Stadt.
»Ich werde den Club nicht verkaufen. Zum Teufel mit diesen Bastarden«, sagte er laut. Dann strich er über seine beginnende Glatze, runzelte die Stirn, als er einen Pickel spürte und verzog seinen markanten, großen Mund. Er sorgte sich flüchtig ums Altwerden, über seinen Bauch, über seine Angewohnheit, mit sich selbst zu sprechen, über Pearl, ob er nicht einen Detektiv anheuern sollte, und ob er sich einen Detektiv überhaupt leisten konnte. Und über die Nachricht von BZV. »Wann?« fragte er ins Leere.
Er stand auf, ging zum Fernseher, nahm die Karte auf... SCHULDEN DES CLUBS ANÄSTHESIE WERDEN ZUM 24. APRIL FÄLLIG. ZAHLBAR GESAMT OHNE ABZÜGE. »Am vierundzwanzigsten April. Sie wissen genau, ich kann das Geld bis dahin nicht aufbringen«, murmelte er. »Und *sie* kontrollieren Bankkredite.« *Hör auf, mit dir selbst zu sprechen,* dachte er.
»Du gibst dir wirklich große Mühe, nicht an mich zu denken, und du tust es mit bemerkenswertem Erfolg«, sagte jemand, wo eigentlich gar niemand war.
»Wa...? Scheis-*se*!« rief Cole, der sich steil aufrichtete und die Arme schützend vor der Brust verschränkte. Er sah sich um. Keiner da. Bis er das Gesicht auf dem Fernsehschirm bemerkte.
Der Fernseher war abgeschaltet. Trotzdem war ein Bild zu sehen. Ein Balken huschte dauernd über das Bild und ließ es etwas flimmern. Dann wurde es wieder deutlich. Ein Mann, Kopf und Schultern. Ein sprechender Kopf.
»Stadt...«
»Würdest du mich lieber vergessen?« wollte das Gesicht auf dem Schirm wissen. Das Bild war in Schwarzweiß.
»Ja... Was geschehen ist. Nicht dich«, entgegnete Cole, der die Knie fest zusammengepreßt und mit den Armen eng umschlungen hatte. Er betrachtete das ernste Gesicht auf dem Bildschirm. Spiegelglasbrille, hartkantig. Wie ein ungeschliffenes marmornes Standbild. Das kalte Gesicht des Mannes, der von einem Auto überfahren worden war. Der Überverstand der Stadt.
»Das Vergessen wurde dir ziemlich schwer gemacht, als es vorbei war«, sagte Stadt. »Du hast Polizisten reden gehört. Und wenn du dein Nachrichtenblatt ganz durchgelesen hättest, dann wäre dir auch ein Artikel über die polizeilichen ›Ermittlungen‹ bezüglich des Todes der Männer, die Samstagnacht gestorben sind, aufgefallen. Die ich getötet habe.«

»Psssst!« zischte Cole warnend.
»Sie hören nicht mit«, unterbrach ihn Stadt. »Das können sie nicht.« Seine Lippen schienen sich erst zu bewegen, nachdem Cole die Worte schon vernommen hatte. »Ich bin Teil von allem hier«, sagte Stadt. »Mit Ausnahme von BZV. Das ist wie eine Krebsgeschwulst in mir.« Der verkniffene Mund verzog sich ein wenig. »Ich verhindere, daß sie mithören können...«
»Schau...« Cole entspannte sich ein wenig, legte die Zigarre in den Aschenbecher und beugte sich vor. »Wenn jemand anders hier hereinkommen würde, könnte er dich äh... sehen?«
»Klar. Du hast keine Halluzinationen. Aber mach dir nicht die Mühe, jetzt jemanden zu holen. Ich würde verschwinden, und dann könntet ihr mich beide nicht mehr sehen. Ich möchte zu niemandem sprechen, nur zu dir und Catz.«
»Schon gut«, versicherte Cole, und seine Stimme klang selbst in den eigenen Ohren mechanisch. »Soll ich Catz holen?«
»Nein. Sie wird später von mir hören... Ich will dir jetzt etwas zeigen.« Das Fernsehbild veränderte sich. Nun sah man von oben ein Zimmer in schwarzweiß. Vier Männer saßen in einem Büro um einen Tisch herum, direkt neben einem großen Glasfenster. »Erkennst du den Mann am Kopf des Tisches, Cole?« Stadts Bild war verschwunden, doch seine Stimme konnte Cole immer noch verstehen. Sie war so freundlich wie die telefonische Zeitansage, die die Minuten verlas.
Cole betrachtete den Mann am Kopf des Tisches. Ein breiter, rosiger Mann mit dicker Brille und weißem Haar (wahrscheinlich ein Haarteil) und langen weißen Koteletten. »Rufe Roscoe. Der Gangster.«
»Ja. Die anderen?«
Der Bursche mit dem karottenroten Haarschopf, den Sommersprossen und dem dummen Blick war...
»Salmon. Der Anwalt von BZV.«
»Ja. Den Rest kennst du nicht?«
»Nein.«
»Dann hör zu...«
Andere Stimmen drangen aus dem Lautsprecher. Salmon sagte gerade: »...Rusk hat uns seinen Anteil zum Einkaufspreis abgegeben – wegen der Steuerschuld! Boswell hat Profit gemacht, vier Prozent. Das gab uns zweiundvierzig Prozent, daher gingen wir zu...«
»Vergessen Sie das«, sagte Roscoe ungeduldig. »Wieviel haben wir *jetzt?*«
Salmon lächelte. »Dreiundfünfzig Prozent.«
»Wunderbar!« sagte Roscoe mit unveränderter Miene. Er sah aus, als hätte er gerade jemand umgebracht und es genossen.

»Aber...« begann Salmon zögernd.
Roscoe beugte sich nach vorne.
»... da ist dieser Kerl, Topp«, fuhr Salmon fort. »Er und die Staatsanwaltschaft sprechen von Anklage, illegale Bereicherung, vielleicht sogar ein Einfrieren der...«
»Die BA«, unterbrach ihn Roscoe. Er sprach mit sanfter Stimme, doch Salmon verstummte augenblicklich. Roscoe lehnte sich wieder zurück. »Die BA ist eine Altherrenriege. Wenn der Distriktsanwalt plötzlich einen Herzanfall bekommen würde, wäre niemand davon überrascht. Ich kenne da einen Arzt... Nun, lassen wir den Burschen ganz einfach von der Bildfläche verschwinden. Und Topp auch gleich.«
»Ich halte es für besser, Sir, Topp einfach nur einzuschüchtern. Wenn zuviele Leute aus diesem Kreis verschwinden...«
»Schon gut. Wenn er erfährt, daß wir die Anteilsmajorität von BZV kontrollieren, wird er sowieso mit eingeklemmtem Schwanz zu uns gewinselt kommen...« Roscoe grinste und sah abwesend zum Fenster hinaus...
Das Bild löste sich in Finsternis auf und wurde von Stadt ersetzt.
»Woher hast du das?« wollte Cole wissen.
»Roscoe ist ein Exzentriker, der alles aufzeichnen läßt. Wie Nixon und seine Bänder aus dem Weißen Haus. Aber er hat nicht aus Nixons Fehler gelernt. Er tut es, weil die Jungs vom Syndikat sich nur gegenseitig anfallen, wenn sie ihre eigenen Schwänze gut geschützt haben, daher bewahrt er alle Aussagen dieser Kerle auf, für den Fall, daß sie einmal auf den Gedanken kommen sollten, unter FBI-Schutz gegen ihn selbst aussagen zu wollen. Mit den Bändern könnte er sie dann alle mit sich reißen. Jemand müßte sie mit diesen Bändern belangen. Die Ratsmitglieder wissen davon, es ist eine Vorsorgemaßnahme gegen Verrat. Er stellt die Kamera selbst auf und nimmt auch die Filme selbst heraus, die er in einem Tresor aufbewahrt.«
»Dumm von ihm. Das Risiko, daß die Bullen sie ohne sein Einverständnis ansehen, ist größer als die Gefahr, die er damit bannen will. Es ist einfach Schwachsinn, die Bänder aufzubewahren. Wenn die Gerichte einen Haussuchungsbefehl erwirken würden, um diesen Tresor zu öffnen...«
»Ja«, stimmte Stadt zu. »Glücklicherweise erkennt er das aber nicht. Er ist fanatisch, was seine eigenen Ansichten angeht, und verdammt störrisch. Er hält sich für unfehlbar.«
»Und warum zeigst du das dann nicht dem Polizeipräsidenten auf *seinem* Schirm?«
»Die BZV kontrolliert ihn. Außerdem könnte ich nicht mit ihm in Verbindung treten. Nicht so einfach jedenfalls. Er würde sich für wahnsinnig halten. Bei dir ist es fast so, als würdest du irgendwie mit mir in Verbindung stehen. Mit dir kann ich Kontakt aufnehmen. Überdies würden die

Bänder als einzige Beweismittel nicht ausreichen, da *unsere* Beschaffungsmethode ebenfalls illegal ist. Offensichtliche Illegalität macht sie wertlos.«

»Ich verstehe. Weil wir sie stehlen müßten. Und augenblicklich wäre es sehr schwer, die Gerichte von der Notwendigkeit eines Haussuchungsbefehls zu überzeugen... He, aber wie kannst du mir Bänder zeigen, die er im Tresor hat?«

»Das hier hat er gerade im Vorführapparat. Er hat es sich gerade angesehen, um nach Anzeichen der Unzufriedenheit bei seinen Leuten zu suchen – auch ein Grund, weshalb er die Bänder aufbewahrt –, dabei wurde er unterbrochen. Er ließ den Projektor im Tresor. Ich habe zurückgespult, wieder neu ablaufen lassen und das Ganze über das Stromnetz hierher projiziert. Seine Energiequelle...«

»Aber das ist ein Fernsehgerät!«

»Nein, es ist Teil von *mir*. Ein Fernsehgerät ist ein Medienübermittler der Stadt. Ein Neuron in meinem Gehirn. Und die Methode, wie ich das Bild vom Video in ein elektrisches Muster transferiere, es durch die Leitungen und zu deinem Fernsehschirm transportiere, das ist einfach zu kompliziert, als daß man es in aller Kürze erläutern könnte. Mir bleibt nicht mehr viel Zeit mit dir. Aber – es ist eine Form von Telekinese. Durchdachte Manipulation der Elektronik. Nachts steht mir die Energie aus jeder Gehirnbatterie der Stadt zur Verfügung. Ein Gehirn speichert Elektrizität. Wenn die Menschen schlafen, kann ich mich einschalten... Am Tag habe ich nur die Energie derer zur Verfügung, die tagsüber schlafen – wesentlich weniger, daher sind mir am Tage Grenzen gesetzt. Obwohl ich von den Leuten unterstützt werde, die fernsehen – weil das auch eine Art Schlaf ist... Ich bin die Summe aller unterbewußten Gedanken jeden Gehirns in der Stadt. Ich bin auch Rufe Roscoe – ich bin der selbstzerstörerische Teil in ihm.«

Er schwieg, während Cole sich bemühte, das Gehörte zu verdauen.

Dann sagte Stadt: »Warum glaubst du, habe ich mich ausgerechnet für *dich* entschieden, Cole?«

»Warum?«

»Weil... weil du jetzt nicht panisch schreiend herumläufst. Du bist nervös, aber nicht desorientiert. Die meisten Leute würden vor Entsetzen sterben, wenn ich so vor ihnen erscheinen würde, mich mit ihnen unterhielte und ihnen diese Dinge mitteilte. Du verstehst die Große Urbane Realität instinktiv. Die geheime Geometrie der Stadt.«

»Äh... wenn du das sagst.«

»Außerdem, Cole, hast du meine Porträts überall an den Wänden hängen.«

Cole lächelte.

Stadt nicht.
»Daher«, begann Cole und sah weg, »nehme ich an, du... du verlangst von mir, etwas... etwas *zu tun.* Für dich. Richtig?«
»Sie müssen aufgehalten werden.«
»Die Gangster?« Cole betrachtete nickend die Benachrichtigungskarte.
»Mein Club ist alles, wofür ich lebe.«
»Ja, die Gangster...«
Nur die Gangster? fragte sich Cole.
»Vielleicht«, begann Cole, »könnte ich jemanden anheuern, in den Tresor einzubrechen, die Bänder zu stehlen und sie als Beweismittel an die Presse weiterzugeben, wenn schon nicht an die Gerichte...«
Stadt schüttelte den Kopf. »Nein, sie könnten ohne meine Hilfe nicht hineinkommen. *Du* könntest es, aber sie würden dich töten, wenn du sie hast. Zuerst müssen wir Zwietracht in ihrer Organisation säen. Wir müssen sie sich gegenseitig an die Kehlen jagen, dann verwahren wir die Bänder sicher, bis sie weich sind und veröffentlichen sie, wenn wir BZV vor Gericht haben. Wir werden sie an die Presse geben, das wird die Geschworenen gegen sie einnehmen. Aber zuerst hast du noch andere Aufgaben. Und nur du kannst die erfüllen.«
Cole schüttelte den Kopf.
Stadt nickte grimmig.
Cole schüttelte heftig den Kopf. »He, ich kann dir beim Planen helfen, ich kann Leute zusammentrommeln, um... die Arbeit für dich zu erledigen. Aber ich bin kaum geeignet, es selbst zu tun. Ich bin nicht James Bond, Kumpel. Ich bin in schlechter Verfassung.«
»Du bist der einzige, mit dem ich zusammenarbeiten kann. Du und diese Frau. Vielleicht nicht einmal sie. Wir werden sehen.«
»Was, zum Teufel, kann *ich* tun?«
»Viel – mit meiner Hilfe. Du hast gesehen, was mit diesen Vigilanten passiert ist. Den Sogenannten.«
Cole dachte nach. Er nahm seine Zigarre aus dem Aschenbecher und zündete sie wieder an, wonach er blaue Qualmwölkchen ausstieß. »Sie werden mir meinen Club wegnehmen«, sagte er, wie um sich selbst zu überzeugen. »Ich habe nichts mehr. Wenn ich getötet werde, na und?« Aber seine Hände zitterten und die Asche fiel vorzeitig vom Ende seiner Zigarre.
Im nächsten Augenblick fühlte er sich beschwingt. Wie damals, als er noch jünger gewesen und selbst gerade erst ins Geschäft eingestiegen war.
»Ich glaubte, ich hätte es geschafft«, erläuterte er. »Damals, vor zehn Jahren, als ich den Club gekauft habe. Ich dachte, es wäre leicht. Aber es war jede Woche ein Kampf, nur zu...«

»Cole«, unterbrach ihn Stadt. »Ich kann dir helfen, sie aufzuhalten. Ich kann Dinge geschehen lassen, die nützlich sind. *Aber nur nachts.* Vergiß das nicht. Ich kann tagsüber nur mit dir *sprechen*... manchmal.«
»Ich verstehe.«
»Bring heute nacht diese Frau her. Um sieben.«
»Catz? Aber die wird einen Auftritt haben...«
»Sie wird kommen. Mit dir kann ich mittels der Technologie sprechen – aber mit ihr habe ich eine stärkere, psychische Verbindung. Sie ist eine *Sensitive.* Und sie kann nützlich sein, wenigstens eine Weile.«
»Was meinst du damit, *eine Weile?*«
Stadt ignorierte die Frage. »Laß deinen Assistenten heute nacht den Club führen. Du und Catz, ihr werdet euch Masken und Waffen kaufen. Ihr geht zum Pyramid Building. Ihr geht in den achtzehnten Stock. Dort werden Wachen sein. Wir werden uns ihrer annehmen.«
Angst schnürte Coles Kehle zu. Die Beschwingtheit war verflogen. Sein Herz war schwer wie Blei, und es schien ihm, als trage er eine deutlich sichtbare Zielscheibe auf der Brust. Cole räusperte sich und stieß hervor: »Schau, ich fühle mich nicht dazu geeignet, jemanden zu töten. Noch nicht. Ich kann es jetzt noch nicht.«
»Du wirst es auch nicht müssen – jetzt noch nicht.« Stadts Stimme wurde barsch. Das Fernsehbild flackerte und verschwand – dann kehrte es etwas verschwommener zurück. »Ich kann nicht mehr mit dir in Kontakt bleiben, Cole. Also hör zu – ich werde heute nacht bei dir sein. Aber ich kann mich nicht mehr in physischer Form manifestieren, nicht ohne geeignete Hülle, jemanden, der für eine Übernahme geeignet ist...«
Etwas so Kaltes und Brennendes wie Trockeneis ließ Cole von innen heraus erschauern. *Ohne geeignete Hülle...*
Stadt (dessen Stimme immer leiser und unverständlicher wurde) fuhr fort: »Ich muß gehen – ich werde heute nacht bei euch sein. Sie wird meine Anwesenheit fühlen, und du wirst es wissen. Aber ich kann sie nicht töten, noch nicht. Sie sind Teil des Syndikats, sie würden einfach von anderen ersetzt werden. Wir müssen *es* aus der Stadt verbannen – BZV selbst ist...«
»Ich weiß nicht«, murmelte Cole. »Ich bin nicht sicher, ob das wünschenswert ist, selbst wenn es machbar wäre...«
Die ganze Zeit über hatte Stadts Stimme beherrscht geklungen. Aber jetzt war er zornig, und die Stimme wurde von einem hochfrequenten Winseln begleitet, das Cole stöhnen ließ. »*Es* ist unser aller Dompteur, Cole. BZV ist eine Krankheit, die als Kur getarnt ist! Bring heute abend die Frau her.«
Und dann wurde der Schirm leer.
Cole betrachtete den leeren Schirm. Er konnte den drohenden Unterton

Stadts nicht vergessen. Während Stadt BZV als einen Dompteur bezeichnet hatte, als Teil einer großangelegten Verschwörung, war Cole an eine andere Stimme erinnert worden, die er vor einiger Zeit gehört hatte. Eine Stimme via Telefon, als er und Catz einmal aus Jux den heißen Draht der amerikanischen Nazis angerufen und kichernd den Ausführungen über die Jüdische-Kommunistische-Neger-Homosexuellenverschwörung gelauscht hatten. Die Stimmen der Nazis hatten einen eiskalten, unvernünftigen Klang gehabt – wie die Stadts gerade eben.
Aber irgendwie wußte Cole, er würde tun, was Stadt ihm befohlen hatte.
Cole betrachtete die Fotos an der Wand. Er konnte die Stadt *niemals* verlassen.

»Aber wenn er uns helfen will, wozu brauchen wir dann die Waffen?« fragte Catz.
Sie saßen beide auf den Vordersitzen eines Mietwagens. In der Dunkelheit. Zwischen ihnen, auf dem geschwungenen Vinylsitz, stand eine Papiertasche, die ordentlich zugebunden war. Sie enthielt zwei .38er und zwei Gummimasken.
»Du hast es doch auch gehört«, sagte Cole und sah auf die Uhr. Während der Unterredung – die so kurz gewesen war, daß sie das Wort eigentlich unzutreffend machte –, hatten sie keine Zeit gehabt, Stadt Fragen zu stellen. Er hatte lediglich seine Instruktionen vom Fernsehschirm gerasselt.
»Er hat es nicht erklärt. Das mit den Waffen.«
»Weil es dort bewaffnete Wächter gibt und wahrscheinlich auch die Leute im Sitzungszimmer bewaffnet sein werden. Roscoe wird es ganz bestimmt sein. Und Stadt kann nicht alles für uns tun. Daher müssen wir die Waffen mitnehmen, um sie zu bluffen...«
»Vor ihren Augen damit rumfuchteln? Ist das alles?«
»Hoffen wir's.«
Coles Hand umfaßte klamm das Fiberglas des Lenkrads. Seine Handflächen erzeugten schmatzende Geräusche, wenn er sie wegnahm, um kalten Schweiß an seinen Hosenbeinen abzuwischen.
»Wir stellen seine Worte überhaupt nicht in Frage«, sagte sie. Ihre Stimme klang völlig ruhig.
Cole nickte. »Merkwürdig. Aber... daher hat er wahrscheinlich uns ausgewählt – wir sind, äh, wie...« Cole suchte nach Worten.
»Urbane Mutationen? Eingeborene der Metropolis? Eingeborene der Wildnis fragen auch nicht, wenn die Naturgeister ihnen Befehle erteilen.«
»Vielleicht«, antwortete Cole ausweichend. Sie diskutierten Abstraktionen, um ihre Gehirne vom bevorstehenden Risiko abzulenken. Er sah auf die Uhr. Sein Herz schien stillzustehen. »Es ist Zeit«, sagte er.

Catz griff auf den Rücksitz und zog eine große Tasche aus Lederimitation nach vorne, die – gut verborgen – ein Tonbandgerät enthielt. »Ich hoffe, es stimmt, daß Stimmabdrücke für bestimmte Personen spezifisch sind. Sonst war das alles« – sie stopfte die Masken in die Tasche und steckte den Arm durch die Trageschlaufe – »umsonst.«
Cole schob den geladenen Revolver fatalistisch in die Innentasche seiner Jacke, so daß der Kolben gegen seine linke Seite drückte. Die entstandene Ausbuchtung verbarg er unter einem mitgebrachten Mantel, den er sich lässig über die Schulter warf. Catz verstaute ihre eigene Pistole in der Handtasche. Dann stiegen sie aus dem Wagen. Beide trugen Armee-Overalls über ihrer gewöhnlichen Kleidung.
Die Türen des Autos fielen außerordentlich laut hinter ihnen ins Schloß. Cole erschrak bei dem Geräusch. Er faßte sich und ging weiter bis zur Front des verlängerten Pyramid Building. Der Maiabend war mild und lau. »Achtzehnter Stock«, murmelte er vor sich hin.
Die Straße war verlassen. Das hier war ein Geschäftsviertel, das nach Feierabend praktisch verlassen war. Von der ein paar Blocks entfernten Market Street klang leiser Straßenlärm herüber. Ein einziges Auto fuhr auf der Straße. Während es sich Cole näherte, schien es sich zu verlangsamen, und er mußte den Drang unterdrücken, wegzulaufen, aber es fuhr vorüber, bog ab und war verschwunden.
Und dann standen sie am Eingang des Gebäudes. Cole blieb stehen und sah hinauf.
Das pyramidenförmige Gebäude, lang und schmal, schien verlassen, abgesehen von drei Fenstern im achtzehnten Stock, die noch erleuchtet waren.
Cole betrachtete Catz und schluckte. Catz zupfte an seinem Ärmel. Gemeinsam traten sie durch die Glastür.
Neben dem Aufzug stand ein bewaffneter Sicherheitsbeamter, aber er hatte ihnen den Rücken zugewandt. Cole folgte der Blickrichtung des Wächters: Der Mann starrte auf zwei Feuerlöscher an der Wand des Korridors, der ins Gebäude hineinführte, die wild Schaum in alle Richtungen verspritzten. Die Schläuche vollführten einen wilden Tanz, die Metallzylinder vibrierten an den Wänden und gaben ein monotones Klappern von sich. Der Wächter, der die amoklaufenden Feuerlöscher betrachtete und daher Cole und Catz nicht sah, ging kopfschüttelnd den Korridor hinab und fragte sich, was er tun sollte. Er griff zögernd nach den Mündungen, um nicht mit dem Schaum in Berührung zu kommen, und suchte nach einem Hebel, um den Fluß zu stoppen.
Cole und Catz gingen zum Fahrstuhl, ihre Hände ruhten auf den Waffen. Die Türen öffneten sich augenblicklich für sie. Sie sahen zu dem Wächter, aber der hatte ihnen immer noch den Rücken zugewandt. Sie hasteten in

den Aufzug, und Cole glaubte, sein eigenes Herz im Einklang mit dem von Catz klopfen hören zu können. Als die Tür sich geschlossen hatte, atmeten sie beide erleichtert auf. Sie mußten den Knopf nicht drücken – das Lämpchen von Stockwerk 18 leuchtete von allein auf, der Fahrstuhl begann zu steigen.
»Danke, Stadt«, schnaufte Cole und erwartete eigentlich keine Antwort. Doch Stadts Stimme antwortete aus dem Lautsprecher neben der Tastatur: »Zieht eure Masken über. Oben sind Leute. Noch zwei offizielle Wachen und zwei Leibwächter im Flur und dem inneren Büro. Die Wachen oben wissen, daß jemand unautorisiert in das Gebäude eingedrungen ist, da sie den Fahrstuhl im Auge behalten und die Wache unten anrufen muß, wenn jemand hereinkommt – daher haben sie schon ihre Waffen gezückt. Versucht, sie lautlos zu entwaffnen.«
Sie streiften ihre Gummimasken über – zwei identische, traurige Gesichter – und zurrten sie fest. Fast augenblicklich begann Coles Haut zu jukken, der Kontakt mit dem Gummi bekam ihr nicht.
Es war eng und stickig hinter dem künstlichen Gesicht.
Cole zog seine Waffe, die Fahrstuhltür öffnete sich.

DRAAAIH!

Da war ein toter Mann, der blutend auf dem Teppich lag. Über ihm stand ein zweiter Mann, der eine rauchende Pistole hielt. Beide Männer trugen Uniformen, der stehende Mann weinte. »He – es ist nicht so, wie's aussieht!« sagte er und wandte sich dem Fahrstuhl zu. »Die Waffe ist einfach losgegangen ...« Dann sah er ihre Masken.
Er riß seine Pistole hoch und feuerte.
Aber Cole und Catz hatten sich bereits eng an die Wände der Kabine gepreßt. Cole war unentschlossen und wie erstarrt. Zurückschießen? Die Tür schließen? Fliehen?
Aber Catz feuerte einmal, und die Wache taumelte mit einer Kugel in den Eingeweiden. Sie wand sich auf dem Teppich zu ihren Füßen und rief einen Namen.
Großer Gott, dachte Cole, *im Fernsehen sind sie immer auf der Stelle tot.*
Der Mann lag auf dem Boden und wimmerte wie ein geschlagenes Kind, während er versuchte, den Blutstrom aus seinem zerfetzten Bauch zu stoppen. Sein Gesicht war weiß, und seine Mütze, die er bei seinem Sturz verloren hatte, bebte fast mitleidig an seiner Seite.

Cole hob seine Waffe, er wimmerte selbst ein wenig, und schoß auf den Kopf des Mannes. Einmal. Zweimal. Zwei der Kugeln verfehlten ihr Ziel. Die dritte traf den Mann in die Schulter.
Catz schlug seine Waffe nieder. »Was *machst* du da?« herrschte sie ihn an.
»Ich versuche... ihn... ihn zu...« begann Cole würgend.
»Ich wollte ihn nicht dort treffen: Ich habe auf seine Beine gezielt. Vielleicht überlebt er. Laß ihm die Chance.«
»Du glaubst, Stadt, äh, ließ seine Waffe, äh, losgehen, um den anderen zu töten?«
Aber Catz hatte keine Zeit zu antworten. Sie wurden aus zwei Richtungen angegriffen. Von vorne kamen zwei kahle Männer in dunklen Anzügen mit gezogenen .45ern aus dem Empfangszimmer vor dem Konferenzraum. Die Wachen krümmten bereits die Finger an den Abzügen – aber die Waffen versagten. Sie starrten sie verblüfft an, während von rechts aus einem Korridor ein Autowächter kam, einer jener primitiven Wachroboter, die erstmals 1979 als Aufseher in Warenhäusern und Warenlagern eingesetzt worden waren. »Bleiben Sie auf der Stelle stehen und bewegen Sie sich unter gar keinen Umständen«, befahl eine kommandierende, leblose Stimme aus dem chromglänzenden Roboter heraus. Seine Arme, die er wie die Ansaugdüsen von Staubsaugern erhoben hatte und die in stumpfen Krallen endeten, umschlossen die beiden Männer. Er wiederholte seine »Bleiben Sie auf der Stelle stehen«-Litanei, was den größeren Mann zu einem Protest veranlaßte: »He, was, zum Teufel, machst denn du da, Bozo, du solltest doch...« Er wurde unterbrochen, als die ungestümen Befreiungsversuche seines Gefährten einen blendenden Lichtstrahl (aus dem Kopf der Maschine) auslösten, der beiden Wächtern vorübergehend die Sicht raubte.
Cole und Catz blinzelten, um der farbigen Kreise Herr zu werden, die vor ihren Augen tanzten.
Die Männer in den Armen des Roboters versuchten weiterhin vergeblich, sich zu befreien. Sie fluchten und schüttelten die Köpfe, als könnten sie damit die Blindheit abschütteln. Ein kleines, rotes Licht blinkte an der Brust des Roboters, gleichzeitig zuckten und zappelten die beiden Männer wie wild, als er Stromstöße in ihre Körper pumpte. Dann sackten sie erschöpft und verwirrt zusammen. Einer begann zu weinen. Gas strömte aus einem Ventil am Kopf der Maschine aus, worauf die beiden Wachen wie kleine Kinder kicherten und sich von ihr wegführen ließen, den Korridor hinunter...
Dann bemerkte Cole, wie auf der anderen Seite des Korridors die Tür des Sitzungszimmers geöffnet wurde. »He, was ist denn hier los?« fragte jemand, als die Tür aufschwang. »Wir versuchen hier...«

Cole wollte sich umwenden und fliehen, aber Catz, der das Ganze offensichtlich Spaß zu machen schien, sprang vorwärts und riß die Waffe hoch, während sie mit der anderen Hand ihre Maske tiefer ins Gesicht zog. »Gehen Sie wieder zurück, aber plötzlich!« brüllte sie mit drohender Grabesstimme.
Cole rannte hinter ihr her, der Raum tanzte vor den schweißnassen Augenöffnungen der Maske. Der penetrante Gummigeruch kitzelte ihm in der Nase.
Der Mann stand im Türrahmen, sein Gesicht wies einen überraschten Ausdruck auf. Dann wich er zurück, stolperte und fiel flach auf den Rükken. Catz und Cole drängten in den Raum und schwenkten ihre schweren Waffen.
»Scheiße, eine Entführung!« rief jemand.
Es waren alles in allem fünf Männer, wenn man den Verletzten auf dem Boden mitzählte, aber Cole kannte nur Rufe Roscoe und Salmon, seinen Anwalt.
Zwei Männer blickten überhaupt nicht erschrocken drein: Roscoe selbst und ein Mann, der, nach seinem Anzug im New Yorker Schnitt zu urteilen, nicht aus der Stadt stammte. Der Fremde hatte dunkle Ringe unter den Augen und kräuselte seine fischigen Lippen zu einem geschäftigen Lächeln.
Cole erinnerte sich an seinen Auftrag. »Okay«, sagte er zu Salmon und hoffte, seine Stimme würde ruchlos genug klingen. »Wen soll ich umlegen? Alle, oder nur den, über den wir gesprochen hatten?«
Der Fremde bedachte Salmon mit einem milde verwunderten Blick. Als er sein Profil sah, erkannte ihn Cole. Es war Gullardo, ein Mafioso. Cole hatte sein Bild einmal in einem Magazin gesehen. Cole lächelte unter seiner Maske. Die Jungs vom nationalen Syndikat würden sich über einen Verrat aus eigenen Reihen überhaupt nicht freuen, schon gar nicht bei so einem Treffen. Fein.
Cole hob die Waffe und richtete sie auf Gullardo. »Soll ich ihn abknallen oder nicht?« wandte er sich an Salmon.
»Was... äh... *nein!*«
»Haben Sie Ihre Meinung geändert?« erkundigte sich Cole. Da ging die Waffe los.
Er starrte sie verblüfft an.
Er hatte den Abzug nicht berührt. Aber Gullardo brach blutspuckend zusammen, sein Hals war zerfetzt.
»Oh, *Scheiße,* Stadt!« sagte Cole zurückweichend.
Sie wandten sich beide um und rannten. Catz rief etwas, das er nicht verstehen konnte. Als er durch die Tür hetzte, riß eine Kugel Splitter aus dem Türrahmen rechts neben ihm.

Der Fahrstuhl stand offen. Cole und Catz hechteten hinein und preßten sich flach gegen die Seitenwände. Eine weitere Kugel bohrte sich direkt neben Coles Kopf in die Wand. »Großer-Gott-gütiger-Himmel-verdammte-Scheiße«, fluchte Cole erschrocken. Die Türen glitten zu. Etwas dellte sie von der anderen Seite mit einem metallischen *Zong!* ein. Dann schlossen sich auch die Innentüren, und es ging abwärts. Siebzehnter Stock... zwölfter... achter... fünfter...
»Laß uns im zweiten Stock 'raus, Stadt!« forderte Cole. »Wir nehmen die Treppe, weil man unten bestimmt schon einen Empfang vorbereitet hat...«
Aber der Fahrstuhl passierte den zweiten Stock und öffnete sich im ersten. Catz und Cole duckten sich, Catz feuerte wild hinaus. Aber niemand wartete. Die Kugeln durchschlugen die Glasfenster und hinterließen Einschußlöcher mit filigranen Spinnwebmustern.
Der Wachmann war nirgends zu sehen. Cole folgte Catz vorsichtig aus dem Fahrstuhl. Links von ihnen, etwa sechs Meter im Korridor, lag die Wache, die sie zuerst gesehen hatten, auf dem Bauch. Neben ihr lag ein Feuerlöscher. Der Schlauch führte über den Teppich bis zu ihrem Gesicht, und die Mündungsspitze...
»Durch das Auge!« zischte Cole angeekelt.
Cole rannte impulsiv den Flur hinab und versuchte nacheinander die Bürotüren zu öffnen, bis er bei der dritten Erfolg hatte. Drinnen stand ein Schreibtisch, ein Telefon. Er drückte A für das Amt, dann erinnerte er sich daran, den Schirm abzustellen, damit man nicht sehen konnte, wer anrief. »Was machst du da?« fragte Catz. »Verflucht noch mal, wir müssen verdammt schnell *hier raus*!«
»Ich rufe einen Krankenwagen...« sagte Cole.
Das Amt antwortete nicht. Statt dessen ertönte Stadts Stimme: »Verschwindet rasch von hier, Cole. Ich kann die Telefonate an ihre Untergebenen nicht mehr länger zurückhalten...«
»Hier drinnen sind Verletzte«, erklärte Cole mit hoher, dünner Stimme. »Und die müssen...«
»Die müssen sterben«, sagte Stadt mit einer Stimme, die so kalt und hallend war wie eine winterliche Mitternacht. »Je weniger Zeugen, desto besser. BZV wird diesen ganzen Vorfall hier vertuschen, damit nichts von ihrer Verbindung zu Gullardo bekannt wird. Sie werden ihn wegschaffen und behaupten, er wäre anderswo ermordet worden...«
Cole schlug zornig auf den Abschaltknopf, womit er die Verbindung unterbrach. Catz erwartete ihn bereits unruhig im Flur.
Mit steifen Bewegungen folgte er Catz zum Wagen...
Ein paar Blocks entfernt nahmen sie die Masken ab und zogen die Überkleider aus. Cole wischte sich den Schweiß von der Stirn. »Dieser ver-

dammte Gummi wird 'nen ganz ordentlichen Ausschlag geben«, murmelte er.
Catz fuhr, ohne ein Wort zu sagen.
»Glaubst du, daß die Bullen kommen?« fragte Cole (da es ihn danach dürstete, ihre Stimme zu hören).
»Nein. Stadt würde die Kommunikation mit ihnen verhindern. Außerdem werden sie wahrscheinlich keine Polente wollen, bis sie sich Gullardos entledigt haben – falls er tot ist.«
»Das...« Coles Magen drehte sich im Kreis. Er schluckte Erbrochenes. »Das hat Stadt... mir am... Telefon gesagt... Ließ mich keinen Krankenwagen rufen.«
Etwas Unsichtbares stand deutlich zwischen ihnen und erschreckte sie beide. Eine unausgesprochene Erkenntnis: Stadt hatte sie angelogen.
»Es kam nicht alles exakt so... wie er es gesagt hat...« murmelte Cole schließlich.
Catz antwortete defensiv, obwohl sie sich nicht selbst verteidigte: »Komm, Stu – tu ihm nicht unrecht. Er kann nicht *alles* kontrollieren. Er ist nicht der Zeitgeist persönlich. Er muß auch nach den gegebenen Umständen improvisieren.« Aber irgendwie schien sie Stadt nur zu verteidigen, um Coles Gefühle nicht zu verletzen. Und um ihn davor zu bewahren, in Panik zu geraten.
»Ich habe den Abzug nicht angerührt«, sagte Cole mit tonloser Stimme. »Stadt hätte nicht...«
»Was?« Sie sah ihn plötzlich an und vergaß darüber fast das Fahren. Cole trat instinktiv auf eine nichtexistente Bremse, da sie fast eine rote Ampel überfahren hätte. Etwa in der Mitte der Kreuzung kam sie zum Stillstand und stieß zurück. Die Straße war fast verlassen, abgesehen von ein paar schattenhaften Gestalten, die man hinter den Rauchglasfenstern einer Bar erkennen konnte, die rechts von ihnen an einem Hang lag.
»Ich habe ihn nicht erschossen. Ich habe den Abzug nicht berührt. Stadt ließ die Waffe feuern.«
»Nun, vielleicht...« begann sie, verstummte aber, da die Ampel grün wurde und sie beschleunigen mußte. Der Wagen schoß rückwärts. »*Was?*« Sie trat auf die Bremse, der Wagen blieb stehen.
»Der Rückwärtsgang war noch drin«, sagte Cole mit dem Hauch eines Lächelns. »Als du auf die Kreuzung gefahren bist, mußtest du...«
»Oh!« Sie lächelte etwas verlegen, legte den richtigen Gang ein und entspannte sich, als der Wagen vorwärts fuhr. »Ah, ja.« Sie zögerte. »Vielleicht wußte Stadt gar nichts von Gullardos Anwesenheit und hat ihn nur wegen der günstigen Umstände erschossen. Aber, Mann, ich verstehe nicht, wieso seine Ermordung nötig war...«
Cole erkannte plötzlich, daß er mit steifem Rücken dasaß und zitterte. Er

unternahm eine bewußte Anstrengung, sich zu entspannen, und sein Körper zitterte stärker. Er sank gegen die Tür und kurbelte das Fenster hinunter. Dann inhalierte er die kühle, frische Luft. »Ich brauch' was zu trinken.«

»Oder vielleicht...« fuhr sie fort, wobei sie die Oberlippe nachdenklich hochzog, »vielleicht hast du *doch* den Abzug betätigt. Deine Nerven. Du kannst nicht sicher sein, ob es nicht doch ein Unfall war. Ein Zucken deines Fingers...«

Cole runzelte die Stirn. Vielleicht hatte er, vielleicht hatte Stadt nicht. Hatte *was* nicht? dachte er wütend. »Getötet«, murmelte er laut, um sich an den Klang zu gewöhnen.

»Du gewöhnst dich besser daran«, sagte Catz.

»Ich mag nicht, daß du ohne meine Zustimmung meine Gedanken liest«, sagte er sanft.

»Tut mir leid. Ich habe nur zufällig ein paar Brocken aufgefangen.«

»Ja, klar. Sicher. Mist.«

»Sieh mal, Stu, du brauchst mich nicht so anzufahren. Wegen mir bist du nicht wütend.«

»Woher willst du wissen, weswegen ich wütend bin, verflucht?« Seine Stimme bebte. Er starrte geradeaus. »Wenn du nicht meine Gedanken liest.«

»Tu ich nicht. Kann ich auch nicht immer. Ich weiß, worüber du wütend bist, weil ich dich *kenne*. Und ich sehe es an der Art, wie du deine Hände hältst. Als wolltest du dich selbst davon abhalten, dein eigenes Gesicht mit den Fäusten zu bearbeiten. Versteh' das: Du hast eine persönliche Schuld zu begleichen. Aber ich will nichts damit zu tun haben. Ich bin nicht mitverantwortlich. Geht mich nichts an.«

»Hör auf mit diesem Geschwätz. Das bist du nicht wirklich. Du bist gebildet.«

»Siehst du. Du bevormundest mich schon. Du greifst mich an, weil ich so besonnen bin. Du brauchst *mir* nicht erzählen, was ich bin, und was nicht, Stu.«

Cole zitterte. Er versuchte es zu beenden und konnte es nicht. Ihm war, als müßte er weiter und weiter zittern, bis das ganze Auto in seinem Zittern mitklapperte. Er fühlte sich leer und elend. »Laß mich hier raus«, sagte er plötzlich. »Ich werde zum Club gehen. Ich muß mich entspannen. Ich seh dich im Club. Ich muß nachdenken.«

Sie bremste den Wagen abrupt. »Vielleicht seh' ich dich im Club.«

Er stieg aus und trat auf den Gehweg. Noch bevor er die Tür schließen konnte, legte sie den Gang ein und schoß davon. Die Tür schlug durch die plötzliche, heftige Beschleunigung von selbst zu, als wäre das Auto zornig.

Er sah sich um und erkannte zunächst überhaupt nicht, wo er sich befand.
Er war in der Polk Street. Er atmete tief ein und erschauerte. Die Nacht schien kälter, als sie eigentlich hätte sein sollen.
Eine große, flachshaarige Frau, so konventionell wie eine Empfangsdame gekleidet, hielt einer Gruppe von vier Teenagerstrichjungen einen Vortrag. »Es ist mir *gleich*, ob ihr mir glaubt oder nicht – ihr werdet es selbst herausfinden. Schluckt das. Die Gewerkschaft ist die einzige Organisation, die euch auf lange Sicht vor den Vigs beschützen kann, und vor den Bullen und den anderen Ärschen, die euch ans Leder wollen. Ihr könnt nicht einfach hier draußen stehen und euren Arsch an jeden X-Beliebigen verkaufen, ohne dabei Gefahr zu laufen...« Sie war eine Angehörige der Prostituiertengewerkschaft.
Cole verschwand außer Hörweite. Er ging an einer Taverne vorbei, deren Warmluftgebläse vor der Tür ihm den Geruch von Bier, Wein, Rauch und Tabak zutrug – und das laute Reden verschiedener Betrunkener, die versuchten, sich untereinander zu verständigen.
Er kam an einem nachts geöffneten Platten/Tape/Vidcassettenladen vorbei und erfreute sich eine Weile an den bunten Lichtern und der lauten Musik. Schließlich ging er durch ein Viertel, in dem fast ausschließlich Homosexuelle wohnten. Es war ein fröhliches Viertel, das vom ständigen Gelächter widerhallte. Die Schwulen akzeptierten jeden, fast ohne Einschränkung, und manchmal besuchte er Schwulenbars, um zuzusehen, wie Männer mit Männern flirteten und Frauen mit Frauen, wie Männer Männer liebkosten und... Er genoß dieses Zusammengehörigkeitsgefühl in ihren Zärtlichkeiten, die lockeren Sitten, die frohgemute Rebellion. Sie kümmerten sich nicht darum, daß ihnen auch 1991 noch die meisten Leute ablehnend gegenüberstanden – besonders die neopuritanische Bewegung. Sie brachen die Barrieren und knüpften verbotene Kontakte um ihre gemeinsame, grundlegendste Triebkraft zu befriedigen: Sex. Mehr als einmal hatte Cole seine Heterosexualität bedauert. Manchmal gab er sich dem Wunschdenken hin, er könnte sein eigenes Feuer wieder entfachen, wenn er lernte, gemeinschaftlich zu lieben, so wie die Schwulen.
Als er an einer Gruppe Tunten vorbeikam, lauschte er abwesend ihren Unterhaltungen... »Nun, Miß *Ding*, sehn Sie sich doch mal an, Liebes, man könnt' ja meinen, Sie wär'n übergeschnappt mit der Haarfarbe. Heutzutage trägt keiner mehr Grün, Liebes, die Autos könnten Sie für 'ne Ampel halten und übah Sie drübah fah'n.«
Cole lächelte flüchtig. Es funktionierte nicht. Er wollte in der Stadt vergessen. Und es funktionierte nicht. Er wurde von seinem eigenen Schmerz isoliert.

Und er ging zu schnell. Er rempelte unaufhörlich Passanten an – bärtige Männer mit Armeestiefeln und Jeans, schwule Motorradritter in Leder, die das Hinterteil ihrer Hosen abgeschnitten hatten, Paare, Dreier und Gruppen von acht bis zehn Menschen gingen vorüber, erzählten sich bedeutungslose, obszöne Witze, küßten sich und ließen Joints kreisen – er mußte ihnen ausweichen oder sich zwischen ihnen durchdrängeln. Eine Tunte starrte ihn böse an und sagte: »Tritt mir nicht auf die Absätze, Mädchen, die brauch' ich heute abend noch.«

»Tut mir leid«, murmelte Cole und schritt verzweifelt rascher aus.

Sein Herz pochte.

Er versuchte, das Bild zu verdrängen ... an etwas anderes zu denken ... er blinzelte:

Da war ein toter Mann, der blutend auf dem Teppich lag. Über ihm stand ein zweiter Mann, der eine rauchende Pistole hielt.

Cole ging in die nächste Bar, stieß sich rücksichtslos bis zur Theke durch und rief: »Einen doppelten Bourbon!« Der Barkeeper, ein kleines, verschmitztes Männchen, das sein Haar schon zu oft gefärbt hatte, schürzte die Lippen und streckte Cole die Zunge heraus.

Die Musikbox spielte ein altes Stück von Amanda Lear ... Der Barkeeper blickte Cole in die Augen. Erkenntnis dämmerte in ihm. Dann schenkte er ihm achselzuckend einen Drink ein. Einen Doppelten. Cole nahm das Glas in eine freie Nische mit, nippte und erschauerte, als die scharfe Flüssigkeit durch seine Kehle rann. Er setzte seine Verdrängungsbemühungen fort ...

Und scheiterte.

Der Mann lag auf dem Boden und wimmerte wie ein geschlagenes Kind, während er versuchte, den Blutstrom aus seinem zerfetzten Bauch zu stoppen ...

»Stadt ...«, sagte Cole heiser ins Leere.

Cole hob seine Waffe und schoß auf den Kopf des Mannes. Einmal, zweimal. Zwei der Kugeln verfehlten ihr Ziel. Die dritte traf den Mann in die Schulter ...

»Stadt!« stieß Cole zwischen zusammengepreßten Zähnen hervor. Er hatte die Augen geschlossen.

... Gullardo brach blutspuckend zusammen, sein Hals war gräßlich zerfetzt ...

»STADT!« brüllte Cole und riß die Augen auf.

»Alles in Ordnung, Mädchen?« fragte ein älterer Mann mit neckischem Spitzbärtchen und einem goldenen Ohrring. Er lächelte zaghaft. Jemand anderes kam an den Tisch ... eine Tunte, wie Cole benommen bemerkte. Er kippte seinen Drink in drei raschen Zügen hinunter, keuchte und stand auf.

»Süße, du siehst *schrecklich* aus«, bemerkte die Tunte, als Cole an ihr vorbeiging. »... gehst besser heim und ...«

»Ja«, stimmte Cole zu. »Ja, danke. Das werd' ich tun. Heimgehen.« Er verließ blinzelnd die Bar.

Cole eilte blind die Straßen hinunter, murmelte Entschuldigungen, atmete schwer und bekam nur am Rande mit, daß er an Schwulendiscos, Schwulenkinos und schwulen Polizeibeamten vorbeikam, die händchenhaltend Streife liefen und im Takt der Musik wippten, vorbei an schwulen Spezialeroscentern, an Restaurants, die Schwulen gehörten und von Schwulen besucht wurden. Er schritt rasch weiter aus.

Schließlich blieb er stehen und versuchte, sich zusammenzunehmen. Er atmete tief ein und beruhigte sich. Danach fühlte er sich besser. Er war in der Unterstadt, ganz in der Nähe des Embarcadero Center. Rechts neben ihm schnurrten Benzoholautos vorbei, Wolkenkratzer ragten hart und kalt im Licht der Straßenlaternen auf. Die Gehwege waren fast verlassen. Links neben ihm schlurfte jemand in einer dunklen Toreinfahrt.

Cole erstarrte. Die finstere Gestalt, die zusammengekauert dort wartete, trug eine Spiegelglasbrille, einen ausgebeulten Hut und einen langen Mantel. Leise Musik drang sanft aus ihrer Bauchregion...

»Stadt?« flüsterte Cole und trat näher. Er beugte sich über die Gestalt. Der Mann in der Toreinfahrt roch nach Wein und Erbrochenem. Coles Augen gewöhnten sich nur langsam an die Dunkelheit. Er starrte dem Mann ins Gesicht, die Brille hing ihm lose auf der Nase. Der Mann schlief und schnarchte leise, er hatte ein falkenähnliches Chicanogesicht, das mit Pickeln übersät war. Die Musik drang aus einem Kofferradio, das er in seiner Armbeuge halb verborgen hatte. Ein Rocksender, Störgeräusche knisterten über der Musik.

Cole wandte sich angewidert ab.

»Wie geht es dir, Cole?«

Stadts Stimme kam aus dem Hintergrund.

Cole wandte sich wieder der schlafenden, finsteren Gestalt zu, die mit angewinkelten Knien in der Einfahrt saß. Der Mann schnarchte immer noch.

»Stadt?«

»Ja, Cole.« Die Stimme kam aus dem Radio, sie übertönte die Musik.

Cole trat näher, beugte sich über das Radio und sprach mit leiser Stimme, um den schlafenden Säufer nicht zu wecken. »Stadt... ich bin im Arsch. Fix und fertig.«

»Wie? Warum, Cole?« fragte das Radio. Und dann schwoll die Musik wieder an, als würde er auf eine Antwort warten.

»Es ekelt mich an. Ich komme um vor Ekel. Komisch... zuerst fühlte ich mich nicht so schlecht. Wahrscheinlich der Schock oder sonstwas. Und dann begann ich zu zweifeln, und das haute mich um. Ich habe diesen Mann getötet. Du und ich, wir haben ihn beide getötet. Du hast mich angelogen. Und dann dieser Wachmann. Vielleicht mußte Gullardo sterben, vielleicht hat er es verdient, den... Scheiße, den Hals aufgeschlitzt zu bekommen... Aber der Wachmann, der hatte doch von nichts eine Ahnung.«

»Er war stoned, Cole. Dieser Wachmann war stoned und paranoid. Er hätte auf alles geschossen, was aus dem Fahrstuhl gekommen wäre.«

»Selbst wenn das stimmt, es hätte einen anderen Weg geben müssen, mit ihm...«

»Es hätte einen geben müssen, aber es gab keinen.« Stadts Stimme wurde lauter und ungehaltener. Der Säufer bewegte sich und jammerte im Schlaf.

»Augenblick mal, ich kann so etwas nicht machen, ich kann... ich kann dafür keine Verantwortung übernehmen. Ich kann mich nicht zum Richter über diese Leute machen und sie wegblasen. Ich mag nicht, wie man sich dabei fühlt...« Cole räusperte sich. Er schluchzte. Die Autos murrten hinter ihm. Er sah in beide Richtungen den Gehweg hinunter. Niemand kam.

»Das mußte geschehen, Cole. Dieser Augenblick der Erkenntnis in dir. Es beginnt mit Schmerz und Furcht und Desorientierung, und dann erkennst du dich selbst und deine Rolle, und du verstehst.«

»Nein, Mann. Ich verstehe überhaupt nichts.«

»Cole – du hast diese Männer nicht erschossen. *Ich* tat es. Vielleicht habe ich dich dazu benützt. Du warst der Ausführende für mich. Aber in Wirklichkeit war es meine Entscheidung und meine Verantwortung...«

»Aber ich habe die Wahl – oder *sollte* die Wahl haben –, ob ich dein *verfluchter ausführender Arm* sein will.«

»Sachte, sachte. Nein, Stu. Diese Entscheidung fiel schon vor langer Zeit. Du wurdest erwählt, aber du hast dich auch gleichzeitig freiwillig gemeldet. Du hast zugestimmt, Teil von mir zu sein, mein Agent, und zwar schon lange bevor du mich in deinem Club gesehen hast. Und dann ist da noch etwas ganz Wichtiges, Stu: Was bin *ich?* Wofür hältst du mich?«

Cole zögerte. »Du bist... das Unterbewußtsein der Stadt. Kollektiv. Irgendwie zusammengeschweißt. Das sagte mir Catz.«

»Das kommt verdammt gut hin. Aber denk mal nach. Was ergibt sich daraus? Ich erfülle die frustrierten Wünsche aller Bewohner der Stadt. Sie fürchten sich insgeheim vor BGE und BZV und der Computerisierung der Welt und der Dezentralisierung der Stadt. Sie fürchten sich vor diesen Menschen, die schrittweise Kontrolle über sie gewinnen. Ungeachtet der Konditionierung, die es sie *bewußt* wünschen läßt, wollen sie *unbewußt* dagegen ankämpfen. Daher haben sie mich erschaffen, um dieses

Vorhaben in die Tat umzusetzen, und sie haben ebenfalls beschlossen, daß du mein Handlanger sein sollst. *Sie*, Stu, haben Gullardo erschossen. Und *sie* haben die Vigs auf der Straße getötet. Und du warst immer schon dafür, die Majorität regieren zu lassen, die Leute sich kollektiv ausdrükken zu lassen. Du warst immer auf ihrer Seite, Cole. Du führst einfach nur ihre Befehle aus. Du bist ihr Kind. Sie sind deine Familie.«

Cole dachte darüber nach. Es funktionierte. In ihm klickte es. Es klang funktionell und rational. Es spielte keine Rolle, ob Stadt moralisch im Recht war oder nicht. Nur eines spielte eine Rolle: Cole hatte eine Begründung für die Vorfälle der Nacht. Das Blut klebte nicht mehr nur an seinen Händen. Er teilte seine Schuld mit allen anderen um ihn herum. Wer konnte ihn verurteilen? Er fühlte sich erleichtert. Er erschauerte, aber dieses Mal gelöster.

»Okay«, sagte er.

»Es werden Zeiten kommen«, sagte Stadt, »da wirst du zweifeln, an ihnen und an mir, und du wirst aussteigen wollen. Vielleicht sogar schon heute nacht. Aber jetzt weißt du, wie du damit fertig werden kannst. Es wird vorbeigehen. Laß *niemanden* mit deinen Schuldgefühlen spielen, Cole.«

Wen meinte Stadt? Catz?

Das Radio knisterte und spielte wieder eintönige Musik. Stadts Stimme war verstummt.

Aber seine Präsenz war sehr stark, sie konzentrierte sich in den Gebäuden um ihn herum.

Erleichtert lächelnd ging Cole weiter. Er fühlte sich beschwingt. Die Spannung war von ihm abgefallen. Er dachte an seinen Club und bog an einer Ecke in diese Richtung ab: Zum Anästhesie.

Da wurde ihm bewußt, daß er sich seinem Club zugewandt hatte, wie die Gedanken eines Mannes sich der vollen Erkenntnis zuwenden, oder dem Wiedererleben einer Erinnerung. Die Stadt war wie ein großes Bewußtsein, eine Ideenmatrix, Konzepte, die in Beton und Asphalt gepreßt waren, und er war das Zentrum des Bewußtseins, das diesem Verstand innewohnte. Er kontaktierte zuerst eine Idee, einen Ort in der Stadt, dann einen anderen. Die Adressen waren fein säuberlich ausgebreitet, eine führte zur nächsten, wie die Pfade freier Assoziation.

Mehr denn je betrachtete er sich als Bestandteil des Verstandes der Stadt.

»He, Stu!« Er sah auf und erblickte Catz, die vor dem Club Anästhesie stand. Er lächelte und winkte. Sie schien erleichtert. Sie kam und nahm ihn bei der Hand, und gemeinsam betraten sie den Nachtclub. Wie durch ein stillschweigendes Übereinkommen sprachen sie von allem, nur nicht von Stadt und den Toten in der Pyramide.

Sie gingen zur Bar, und Cole schenkte jedem ein Bier ein. Dann unterhiel-

ten sie sich über Musik und das Publikum und schafften es auf diese Weise fast, das Erlebte zu vergessen.
Trotzdem hatte Catz' Stimme einen schwach anklagenden Ton. Sie kämpfte mit sich selbst, um nicht davon zu sprechen. Cole spürte wie die Selbstvorwürfe wieder begannen. *Es liegt nicht in meiner Hand*, sagte er sich. *Jeder in der Stadt hat für mich entschieden.*
Er stand auf, streckte sich und sagte, es wäre besser, wenn er etwas arbeiten würde. Catz nickte und sah zu Boden. Cole ging hinter die Bar. Zwei Stunden arbeitete er dort. Er mixte Drinks und fütterte das vielmäulige Monster, er wusch Gläser, bediente die Kasse, wischte die Bar ab, justierte die Compudisco, prüfte Ausweise, besänftigte Rowdies und gab vor, Anekdoten zuzuhören, die er wegen der Musik überhaupt nicht verstehen konnte. Er schenkte mehr und mehr Drinks ein.
Manchmal erledigte er solche Aufgaben schön nacheinander, manchmal drängten sie sich alle innerhalb von fünf Minuten. Dann schoß er in bestem Sprinterstil hinter der Theke hin und her wie ein Billardball, der von den Banden abprallt. Es war eine großartige Beruhigung. Er konnte ein funktioneller Teil der nächtlichen Maschinerie der Stadt sein, und er fühlte sich zuhause.
Er mixte Drinks und schmierte damit das Getriebe der samstagabendlichen Vergnügungsmaschinerie, während er die ganze Zeit sein rauchtrübes, vom Spiegelball beleuchtetes Reich im Auge behielt.
Das Klicken der Registriereinheiten, das Klappern der Geschirrspüler, die Geräusche der Trinkenden an den Tischen – all das vermengte sich zu einem donnernd brandenden Lautmeer.
Er war der Kapitän des Clubs Anästhesie. Er war der Chefarzt, der das Vergessen in kleinen Gläsern verschrieb. Darüber konnte er fast den aufgespießten Wächter vergessen, und den Italiener mit dem zerfetzten Hals im achtzehnten Stock eines Gebäudes, das dazu entworfen worden war, Erdbeben zu überdauern...
Konnte es tatsächlich eine halbe Stunde lang vergessen. Und dann erinnerte er sich daran, daß *die ganze Stadt den Abzug betätigt hatte. Ich habe nur ihre Befehle ausgeführt.*
Aber hin und wieder sah er das pyramidenförmige Bauwerk so verändert, daß es der Pyramide auf den alten Dollarnoten ähnelte: mit einem großen, glotzenden Auge in der Spitze.
Sie werden nach mir suchen, überlegte er, *wenn sie herausfinden, daß Salmon sie nicht verpfiffen hat. Ich bin der erste Verdächtige: Sie wissen, ich habe einen Grund, sie zu hassen.*
Daher überraschte es ihn kaum, als gegen zehn Uhr, kurz nachdem Catz' Band eine Stunde gespielt hatte, zwei Männer in grauen Anzügen zur Tür hereinkamen und sich zielstrebig der Bar näherten. Der ältere trug eine

Brille mit gelben Gläsern. Sein hageres Gesicht wirkte durch zahlreiche Brandnarben noch ausgemergelter. Der andere war ein kleiner, jüngerer Mann, dunkelhäutig, mit braunen Augen und pechschwarzem Haar, vermutlich ein Chicano.

Cole winkte sie zum Ende der Bar, wo die Menge weniger dicht gedrängt stand, und als sie sich dort trafen, erkannte er seinen Fehler. Er hätte sie ignorieren müssen, bis sie seine Aufmerksamkeit nachdrücklicher auf sich gelenkt hätten. Indem er so handelte, wie es von ihm erwartet worden war, hatte er sich selbst verdächtig gemacht.

»Cole? Drummond«, sagte der Narbige und deutete mit einem kaum merklich abgeplatteten Daumen auf sich. Dann nickte er seinem Gefährten zu. »Offizier Hulera.« Drummond zeigte ihm eine Erkennungsmarke.

Sein dünnes Lächeln blieb ungeachtet seiner Lippenbewegungen konstant. Hulera fragte: »Haben Sie uns erwartet? Gab Ihnen jemand Nachricht?«

»Was? Äh...« *Jetzt bloß nicht stottern.* »Nein, zum Teufel, nein. Aber ich erkenne Polizisten, wenn ich sie sehe. Sie sind keine der regelmäßigen Patrouillen, die hier hereinkommen, um den Anschein von Geschäftigkeit zu erwecken. Daher dachte ich, Sie wollten mit mir sprechen. Das ist alles.«

Drummond schien damit zufrieden zu sein. Nicht so Hulera. »Worüber sollten wir mit Ihnen sprechen?« fragte er Cole.

»Ach, hör auf, mit ihm zu spielen«, fuhr Drummond zornig dazwischen. »Der Mann ist kein Dummkopf... Cole, haben Sie etwas von ein paar Jungs gehört, die im Gebäude der Crocker Bank verletzt worden sind? Ist erst vor ein paar Stunden passiert.«

»Jungs?« fragte Cole und bemühte sich, gelangweilt zu klingen. »Sie meinen Kinder?«

»Ich meine Wachmänner. Einer von ihnen wurde auf höchst unerfreuliche Weise getötet.«

»Wirklich sehr unerfreulich«, fiel Hulera kopfschüttelnd ein. Sein Lächeln war verschwunden. »Bekam einen Feuerlöscherschlauch durchs Auge gestoßen.«

»Äh... seltsame Todesursache.« Cole schluckte, um das Beben seiner Stimme zu verdrängen. »Wie kann denn so was passieren, zum Henker?« Er bemühte sich um ein angeekeltes Lächeln.

»Das wollten wir *Sie* fragen«, sagte Hulera theatralisch.

»Aber warum gerade mich?«

»Weil wir erfuhren, daß Sie diesen Leuten eine Menge Geld schulden. Eine *Menge.* Denen im achtzehnten Stock des Gebäudes«, bekräftigte Drummond.

Cole konnte Drummonds stechenden Blick fast fühlen. Der Mann notierte jedes Augenzwinkern von ihm.

»He, Drummond«, antwortete Cole. »Klar, wenn ich in ihr Büro gehe und Wachen was zwischen die Augen stoße, das verringert natürlich meine Schulden ungemein. Ganz bestimmt. Das war doch ganz offensichtlich die Tat von einem *Irren.* Ich meine, wenn ich überschnappen würde wegen diesen sogenannten Schulden – und ich kann nicht verheimlichen, daß sie mich nicht verrückt machen – äh, wenn ich also überschnappen und dorthin gehen würde, um dort Leute abzumurksen, dann wäre ich einige Stunden später ganz bestimmt nicht imstande, hier so ruhig an der Bar zu stehen und Drinks zu mixen, oder was meinen Sie?«

»Woher wissen Sie, daß es ein paar Stunden später ist?« fragte Hulera aufhorchend, der Triumph des Naiven stand in seinen Augen geschrieben.

»Himmel, Hulera«, schnarrte Drummond. »Weil ich ihm das vor ein paar Sekunden gesagt habe. Paß doch auf!«

Hulera schürzte achselzuckend die Lippen und sah Cole durchdringend an.

»Würden Sie bitte mit uns zur Wache kommen, Mr. Cole?« fragte Drummond.

»Tut mir leid«, antwortete Cole. »Nur wenn Sie einen Haftbefehl haben.«

»Wir können bis morgen früh einen bekommen«, drängte Hulera.

Die Beleuchtung wurde gedämpft, und Catz' Vorstellung begann. Alle drei mußten plötzlich schreien, um den Rock'n' Roar zu übertönen.

Cole war froh darüber, daß es nun so dunkel war. Jetzt konnte Drummond sein Gesicht nicht mehr so deutlich sehen. Er war ziemlich sicher, daß ihm das Entsetzen – er konnte sich nichts Schlimmeres vorstellen, als eingesperrt zu werden – deutlich im Gesicht geschrieben stand.

»Sie müssen mir den Haftbefehl zeigen«, sagte Cole. »Ich muß eine Bar führen, weil diese Schulden wie ein Damoklesschwert über mir hängen. Daher werde ich hierbleiben und mich darum kümmern, daß soviel Geld wie möglich in die Kassen kommt, da können Sie *verdammt* sicher sein...«

»Das ist eine verdammt lausige Ausrede, Kumpel«, sagte Hulera vorgebeugt. Seine Stimme klang hart und selbstbewußt.

»Verdammt, Hulera, das ist eine ausgesprochen *gute* Ausrede«, rief Drummond dazwischen. Er nickte Cole zu. »Morgen.« Damit führte er den stirnrunzelnden Hulera zur Bar hinaus.

Cole mixte sich einen Drink.

»Das ist verdächtiges Verhalten«, murmelte er vor sich hin, trank und sah den Bullen nach. »Ich hätte mit ihnen gehen sollen. Vielleicht sollte ich ihnen folgen und ihre Fragen beantworten. Zum Teufel.«

Seine Aufmerksamkeit wurde auf einen schemenhaften Umriß gelenkt,

der von dem Neonsprayfenster reflektiert wurde, vor der Leuchtreklame pulsierend blinkte – eine schattenhafte Gestalt, die sich deutlich von den Reflexionen der Menschen in der Bar abhob. Sie war nur dann sichtbar, wenn die Lichter von Gelb nach Rot wechselten. Rot: Es war Stadt, der dort im Trenchcoat stand, mit Schlapphut und Spiegelglasbrille.
Cole sah sich um. Stadt war nirgendwo in der Nähe (es sei denn im makrokosmischen Sinne). Nur die Reflexion zeugte von seiner Anwesenheit. Ein Schatten, der von niemandem verursacht wurde. Er starrte ihn an. Stadt blickte kopfschüttelnd zurück. »Die Bullen?« fragte Cole. »Soll ich mit ihnen gehen und reden?«
Stadt schüttelte den Kopf, flackerte und war verschwunden.
Cole machte sich wieder an die Arbeit. Nach der nächsten Vorstellung kam Catz zu ihm an die Bar. »Ich hörte Stadts Stimme in den Bühnenmonitors«, sagte sie. »Er sprach zu mir.«
Coles Herz wollte stehenbleiben. »Er hat noch eine Aufgabe für uns...«
Catz nickte. »Er sagte, du sollst zur Telefonzelle gehen.«
»Warum?« Cole warf sein Wischtuch weg. »Für heute reicht's mir. Ich kann nichts mehr ertragen. Nein, nein. Es reicht für *zehn Jahre.*«
Aber er ging trotzdem zum Telefon.
Ohne den Bildschirm zu aktivieren, nahm er den Hörer ab und hielt sich die Hand über das andere Ohr, um nicht durch die Discomusik gestört zu werden. Augenblicklich hörte er Stadts Stimme über dem piependen Ton des Freizeichens. »Sprich überhaupt nicht mit der Polizei, wenn es sich vermeiden läßt. Ich will versuchen, ihre Aufmerksamkeit auf ein rivalisierendes Syndikat zu lenken. Vielleicht die Tengs. Sie – Roscoe und seine Jungs –, haben deine Stimme auf dem Videoband der Kamera. Ich konnte die Bildaufzeichnung unterbrechen, aber beim Ton klappte das nicht. Sie könnten dich also damit festnageln, wenn du auf die Wache mitgehst. Und nun besuche das Konzert der First Tongues im Memorial Auditorium. Die Vigilanten werden es möglicherweise stören, weil sich die Band nicht dem Diktat der Veranstaltergewerkschaft beugen will. Wir werden die Augen offenhalten und auf Gelegenheiten warten. Geh zum Südeingang, dort werde ich dich einschleusen. Und geh *sofort.*«
»He, Augenblick mal, ich habe diese Spielchen satt«, begann Cole mit schriller Stimme. »Du sagtest, niemand wäre dort, abgesehen...« Er senkte die Stimme und sah sich verstohlen um. »Es hat *Tote* gegeben, von denen wenigstens zwei noch leben könnten. *Wenigstens.* Es bestand kein Grund, diesen Burschen mit dem Feuerlöscher zu töten, Stadt, du hättest ihn bewußtlos schlagen können oder...« Coles Stimme überschlug sich. Abgesehen vom Freizeichen hörte er nichts mehr vom anderen Ende. Er hatte das unbestimmte Gefühl... »Stadt?«... daß Stadt gar nicht mehr zuhörte.

Er warf den Hörer auf die Gabel, sah ihn abprallen und wie ein häßliches Pendel an seiner Metallstrippe schwingen.
Catz stand neben ihm und hielt seinen Mantel. »Ich habe Bill bereits gebeten, für dich zu übernehmen«, sagte sie. »Meine Band wird ohne mich weiterspielen. Verdammter Mist.«
Cole griff langsam nach seinem Mantel. Drei verschiedene Arten der Furcht tobten in ihm. Die erste Furcht war die, daß er getötet oder festgenommen werden konnte. Die zweite Furcht galt seinem Nachtclub, und damit verknüpft auch Catz. Die dritte Furcht war das Entsetzen, das er immer dann verspürte, wenn er erkannte, daß er irgendwie überhaupt keine andere Wahl hatte, wenn ihm Stadt einen Auftrag gab...
Er streifte seinen Mantel über und folgte Catz zur Tür hinaus.

Der Südeingang des Auditoriums war zugekettet; niemand bewachte ihn. Aber Stadt hatte die Verankerungen der beiden Ketten gelockert, und Cole mußte sie nur noch vom Türgriff loswinden. Aber die Tür war auch noch von innen versperrt und widersetzte sich Coles Öffnungsversuchen. »Geh zurück«, befahl Catz. Cole ging zurück. Er hörte zwei klickende Geräusche. Als er es wieder versuchte, war die Tür offen.
Cole stieß sie auf und betrat zuversichtlich das warme, rauchgeschwängerte Gebäude. Sie befanden sich in einem Flur vor den Toilettenräumen. Im Betonkorridor hallten die Echos von Baß und Schlagzeugen dumpf wider. Die Bühne befand sich hinter der angrenzenden Wand... Sie waren nicht allein. Man hatte ihr Eindringen beobachtet.
Punker und *Angstrocker* standen in berechneter Ordnungslosigkeit an den Wänden. Die Punker trugen selbstgemachte Kleider, die mit Ketten und allerlei Juwelen behängt waren, mit Orden und wahllos ausgesuchten Buttons. Ihre Kleidung – sie ähnelte sich zwar stark, aber man konnte keine zwei identisch aufgemachten Personen ausmachen – bestand aus alten, verwahrlosten Stücken, die überhaupt nicht zueinander paßten. Damit drückten sie ihre Abscheu vor massengefertigten Kleidungsstücken und computerdiktierter Mode aus. Die *Angster* trugen hauptsächlich Uniformen – wobei *jede* Uniform den Zweck erfüllte, aber Gefängnisuniformen waren die absoluten Favoriten – oder weiße, sterile Krankenhausschlafanzüge. Im Korridor hing ein Geruch nach Gummikleidung. Man sah schwarzes Leder, Chrom, transparenten Kunststoff und Modeschmuck. Aus der Menge, die Zigaretten, Dope und Alkaloidstäbchen rauchte, wurden Cole und Catz feindselige Blicke zugeworfen. Aber in einigen Gesichtern konnte Cole Bewunderung lesen: »Jemand ist umsonst reingekommen«, hörte er jemanden flüstern. »Saubere Arbeit, wie sie die Tür geöffnet haben, Junge, Junge.«
Kahlköpfige Punks, deren Gesichter von eintätowierten Dollarzeichen,

Totenschädeln, Knochenhänden und anarchistischen Symbolen geziert wurden, schlurften zum Südausgang, während die *Angstrocker*, mehr vom gelangweilt erhabenen Typ, mit den Händen in den Hosentaschen stehenblieben und sie mit versunkenen Augen unter uniform geschnittenen Bürstenfrisuren und schwarzen Stirnbändern betrachteten. Punkmädchen mit entblößten Brüsten, durch deren Nippel Ringe gezogen waren, kicherten und nickten Cole zu. »Äh, 'n bißchen *alt* für so was, äh, nich?« fragten sie einander im traditionellen, apokryphischen britischen Akzent. Cole grinste in sich hinein.
Mit arrogantem Lächeln nahm Catz Cole bei der Hand und führte ihn nach rechts zum Auditoriumseingang neben der Bühne. Hinter ihnen riefen die Punks ihren Freunden außerhalb etwas zu und offerierten freien Eintritt durch die aufgebrochene Südtür.
Catz war bekannt und wäre wahrscheinlich auch erkannt worden, hätte sie nicht die Dominomaske aus Plastik und das diabolische Make-up getragen, das den größten Teil ihres Gesichts entstellte. Sie trug eine enge Bluse, deren Stoff über der rechten Brust weggeschnitten worden war, eine braune Fliegerjacke und knallenge, schwarze Lederhosen. Ihr Haar stand in einzelnen Strähnen vom Kopf ab wie Spikes, womit sie im großen und ganzen dem Gemälde irgendeines paranoiden Malers entsprungen sein konnte – ein Punkaussehen, das sie ein wenig fehl am Platze erscheinen ließ. Bei den meisten Punks handelte es sich um dreißigjährige oder ältere Relikte.
Sie passierten den geisterhaft blau erleuchteten Korridor, kickten Tablettenröhrchen aus Plastik, Zigarettenschachteln und Regierungsflugblätter beiseite und wandten sich schließlich nach links, um das Hauptauditorium zu betreten. Dort standen sie am Rand einer dichtgedrängten Menschenmenge, nur ein paar Meter von den gewaltigen PA-Boxen entfernt, die so groß waren, daß sie zwei stehenden Männern mühelos Platz geboten hätten. Donnernder Heavy-Metal-Rock brandete über ihnen zusammen, erfaßte sie mit seinen Sensorroundwogen und ließ sie zittern...
Catz bewegte sich durch dieses Element (das donnernde Röhren eines *Angstrock*konzerts ist ein eigenständiges Element, ein Meer greifbarer Musik, Musik, die man physisch fühlen kann, eine sonische Seduktion, die die Gelenke schüttelt, das Haar unordentlich abstehen läßt und die Zähne zum Klappern bringt) mit der Selbstsicherheit eines Falken, der in stürmischer Luft fliegt.
Cole bewunderte sie.
Die Menge bewegte sich wie ein großer, angeschwemmter Drache. Wie einen einzigen Körper durchliefen sie reptilienhafte Schauer, eine multizellige Massivität, die sich unter der Massage des Mediums Rock'n'Roll wand – die Schuppenhaut der Köpfe – fünfzigtausend Gesichter, eines ne-

ben dem anderen – glühte vor Leben, während sie den ungeheuer verstärkten, stürmischen Rhythmus der Band in sich aufnahm.
Die Spieler waren kostümiert wie gnostische heilige Männer, Magier und besonders Alchimisten, in wallenden, figurierten Roben in Rot, Schwarz und Silber. Aber der Leadsänger trug nur einen leinenen Lendenschurz und auf der schweißglänzenden Haut seiner schmalen Brust das Zeichen als eingebranntes Mal, das kabbalistische Zeichen für Chaos, das Kreuz, dessen Basis sich in eine Sense verwandelt. In seinen Katzenaugen (grünen Kontaktlinsen mit Sehschlitzen) funkelte eine außerirdische Intelligenz. Er wand sich masochistisch unter dem Baßdonnern und dem Gedröhn der Drums. Er bewegte sich in einer bizarren Choreographie, die so spontan wie ein Peitschenschlag und gleichzeitig außerordentlich elegant war, jeder Schritt Teil eines Beschwörungstanzes eines urbanen Voodoorituals... In Interviews hatte der Sänger darauf bestanden, daß die Instrumente von First Tongue eine besondere Sprache sprächen, nämlich die First Tongue – der Ersten Sprache – die Sprache des präbabylonischen Zeitalters, die Sprache der Engel. Sie waren die einzig verbliebene erfolgreiche Okkultband, eine Stilrichtung, die vor mehr als einem Jahrzehnt von Blue Oyster Cult begründet worden war.
Der Sänger, dessen Künstlername Blue Drinker lautete, sang mit monotoner, spöttischer Stimme:

Die sechs Beine des lebenden Kadavers
Der mit Eisesstacheln stört den Frieden des Todes
Seine sechs Zungen mit morbidem Palaver
Künden von der Rückkehr des elektrischen Gottes...

Genau in diesem Augenblick setzte die Lightshow ein. Im Tumult des Rauches, der sich über das Publikum senkte, tobten die roten und grünen Laser mit der Unentrinnbarkeit des Todes. Sie sponnen ein grell leuchtendes Netz, das in einem diabolischen Kode pulsierte – die Grundfarben, ätherische Streifen aus heißem Stahl und glühenden Drähten, die die Musik unterstrichen. Fast synchron mit der Musik, mit dem ersten und dem letzten hallenden Pochen der Drums und jedem Stakkatoriff der Leadgitarre, flammte das Feuer in Eintracht mit dem Heulen des Synthesizers und dem unheilschwangeren Hämmern des Basses. Die Lichter waren eine Funktion der Musik, die dieser im Bruchteil von Mikrosekunden folgten – gesteuert vom Computer hinter der Bühne. Der Computer erkannte exakt den Moment des Höhepunkts, in dem die Holografie eingesetzt wurde. Die Laserbündel splitterten auf, wurden gebrochen, reflektiert und formten ein Gebilde, das an einen Kreisel erinnerte, der sich unter einer Peitsche dreht und der sich nahtlos in die Konfiguration großer

elektromagnetischer Felder einfügte, die von verborgenen Quellen in der Decke abgestrahlt wurden.
Und dann sah die brüllende und applaudierende Menge, deren faszinierte, nach oben blickende Gesichter Ruhe vor dem Sturm auszudrücken schienen, eine Bestie so groß wie einen Marinezerstörer. Es war ein freakiges, submenschliches Ding; ein Mann mit sechs Beinen, der wie eine Spinne auf seinem von Panzerplatten bedeckten Bauch krabbelte. In seinem gigantischen, mißgestalteten Kopf funkelten sechs Augen in sechs mystischen Farben. Er öffnete den lippenlosen Mund und entblößte die Gitterstäbe eines Stadtgefängnisses, hinter dem Gefangene mit hohlen Augen nach draußen starrten...
Das Ding bewegte sich scheinbar zufällig und doch präzise zu den Klängen der Musik von First Tongue. Es war gigantisch, dreidimensional, schien solide und schwebte durch den Rauch über den Zuschauern, während um es herum gewaltige Gebäude zu Staubgeysiren zerbarsten und die schreienden, flüchtenden Einwohner unter sich begruben...
Das holografische Bild des Monsters bewegte kreischend seine kaum mehr menschlichen Gliedmaßen... im Einklang mit der Musik (das strukturierte Gebrüll unter ihm schien es in der Luft zu halten und es von Sekunde zu Sekunde immer und immer wieder neu zu erschaffen) zertrampelte es die projizierte Stadt. Und Blue Drinker, dessen totenähnliches Gesicht eine Apotheose des Kummers ausdrückte, rezitierte dazu gleichzeitig Bibelpassagen:

> »...*Ein anderes Tier sah ich, das stieg aus dem Land empor. Es hatte zwei Hörner wie ein Lamm, redete aber wie ein Drache*...«

Das Holobiest senkte zwei Hörner, Flammen schlugen aus seinem Maul.

> »...*Und es vollbringt große Zeichen, daß es sogar Feuer vom Himmel herabfallen läßt auf die Erde vor den Augen der Menschen*...«

Das Hologramm zeigte Feuer, das auf die Bestie und das von ihr angerichtete Blutbad herabregnete.

> »...*So veranlaßte es alle, die Kleinen und die Großen, die Armen und die Reichen, die Freien und die Sklaven, sich ein Mal zeichnen zu lassen auf ihre rechte Hand oder auf ihre Stirn*...«

Und die Menschen, die in dem Holo zu sehen waren, lagen jetzt auf den Knien und verehrten das flammenspeiende Tier. Sie alle waren nun mit Zahlen auf der Stirn gebrandmarkt, während auf der Bühne über Blue

Drinker ein grellblauer Scheinwerfer klickend seine Flammenlanze versprühte, so daß man nun auf der Stirn des Sängers eine bisher unsichtbar gewesene Tätowierung erkennen konnte: 666.
Catz stampfte entzückt mit dem Fuß auf, und Cole lachte.
Dann beugte Cole sich zu ihr hinab und brüllte ihr ins Ohr: »Wo sind eigentlich die Vigilanten, die wir sehen sollten? Und was, zum Teufel, tun wir, wenn wir sie sehen?«
Catz zuckte die Achseln. Cole war sich nicht sicher, ob sie diese Geste machte, weil sie es nicht wußte, oder nur deshalb, weil sie ihn nicht verstehen konnte.
Die Band donnerte weiter wie eine Phalanx von Panzerwagen, die über ein Schlachtfeld rollen. Die Melodien waren präzise und durchdacht, aber so sehr verstärkt, daß sie dem Ohr wie eine einzige Schallmauer erschienen. Aber so wie ein Panzer auf den ersten Eindruck hin nur ein klobiger Koloß metallischer Aggression zu sein scheint, stellte sich bei näherem Hinhören heraus, daß die Musik ebenfalls aus sorgfältig gearbeiteten und gekonnt verbundenen Teilen bestand. Eine gewaltige Klangmaschinerie.
Die riesige Halle, die 55 000 Menschen fassen konnte, wurde von der breiten Tanzfläche dominiert, die bis zu den Wänden zum Bersten voll war, wo sich auf einer Empore noch Stuhlreihen befanden. Rund um die Tanzfläche herum war zusätzlich ein schmaler Bereich, der auf Geheiß des Branddirektors von Ordnern freigehalten wurde. Hier und da brach eine Keilerei aus, Flaschen wurden geworfen und Rauchbomben gezündet, wodurch die Szenerie einem Schlachtfeld tatsächlich frappant ähnelte.
Unter der Empore waren drei Tore offen, die zu den Ausgängen führten. Aus diesen Toren ergossen sich nun ein paar Männer, die uniform in blaue Hemden und Blue jeans gekleidet waren und die ihre Gesichter unter Strumpfmasken verbargen. Manche von ihnen hatten Gewehre, andere hielten Schläuche in Händen. *Die Vigilanten,* erkannte Cole plötzlich geschockt. Die Show hatte ihn fast den Zweck ihres Hierseins vergessen lassen.
Er sah sich in der Feuergasse um. Wie auf ein geheimes Signal verließen die Ordner plötzlich diesen Bereich.
Rufe und ein spastisches Aufbäumen der Menge an den Randzonen zeigte, wo die Vigilanten einzudringen begannen. Cole sah Messer blitzen.
Catz führte ihn vorsichtig um die Flanke der in Panik geratenden Menge herum und auf die Vigs zu. Doch sie waren gezwungen, sich mit der Masse der Leute zu bewegen, als die Menge sich wie eine erschrockene Amöbe aufbäumte und vor der Bedrohung in ihrem Rücken in Richtung auf die Bühne zurückwich.
Die Leute ganz vorne wurden hilflos gegen das Bühnenpodest gedrückt

und kletterten in ihrer Panik auf die Plattform. Ihre Zahl war zu groß für die eiligen Bühnenordner, die sie zurückzuhalten versuchten, während die Band – die fliehenden Punks und *Angstrocker* um sich herum ignorierend – ein Stück spielte, das Aaron Dunbar, Die Schwuchtel, geschrieben hatte:

Gott ist tot und ich will seinen Job
Pate sein des Kosmischen Mob!
Jedermann
getrieben von der Gier
Jedermann
versklavt vom Muß, auch ihr
Und der einzige Weg, sich von diesem Fluch zu befrei'n
Man muß der Besitzer des Universums sein.
Gott ist tot und ich will seinen Job...

Die Vigs feuerten ziellos in die Menge, gerade so viele Schüsse, um die Menschen wie eine aufgeschreckte Herde auf die Bühne zu jagen...
»Sie wollen die Menge dazu bringen, die Band zu zertrampeln!« rief Catz ungläubig.
Die Band spielte mit grimmigen Gesichtern weiter. Die Musik brandete heran wie ein blutrünstiger Moloch. Blue Drinker tanzte immer besessener. Er schien in dem Chaos unterzugehen, das seine Feinde entfesselt hatten.
Catz und Cole waren hinter einem Betonpfeiler in Deckung gegangen, während die Menge rechts und links von ihnen tobte. Die Gestürzten wurden niedergetrampelt.
Die Vigs richteten die Schläuche mitten in die Zuschauermasse, die vom Entsetzen geschüttelt wurde.
Das Hologramm an der Decke veränderte sich...
Es senkte sich von der Region der Metallverstrebungen an der Decke herab, so tief, daß die Menge es auch in Panik nicht ignorieren konnte.
Es war das Bild eines der Vigilanten, auf dessen Rücken rote, weiße und blaue Sterne tanzten, und der versuchte, Blue Drinker zu erwürgen...
Dafür ist Stadt verantwortlich, dachte Cole plötzlich.
Die Vigs blickten hoch, zögerten und senkten Schläuche und Gewehre, Messer, Knüppel und was sonst noch alles.
Das Publikum verlangsamte seine Flucht, viele Gesichter wandten sich der Projektion an der Decke zu: Nun zeigte sie ein gigantisches, dreidimensionales Abbild von Lance Galvestone, dem Gewerkschaftsboß. Die meisten der Anwesenden kannten ihn. Und Blue Drinker auf der Bühne wurde von donnerndem Gelächter geschüttelt und tanzte weiter mit der

Band. Die gewaltige Klangmaschinerie des Heavy-Metal-Sounds donnerte weiter.
Die Schläuche in den Händen der Vigilanten spritzten nicht mehr, ihre Eigentümer starrten sie verblüfft an.
Das Bild von Lance Galvestone wandte sich um und starrte auf die Menge herunter. Er war ein alter Mann mit faltigem Gesicht und gelben Augen. Er griff mit zerfurchten Händen an den Reißverschluß seiner Hose, öffnete ihn und... urinierte auf die Menge, während hinter ihm lachende Vigilanten standen.
Und die Musik dröhnte ihre subverbale Botschaft weiter unbarmherzig durch die Halle, und die Menge hörte zu...
Das Publikum wandte sich fast wie ein Mann um und attackierte die Vigilanten, angestachelt von den genau berechneten visuellen Spöttereien der Stadt. Die Vigilanten drehten sich um und liefen in wilder Hast zu den Ausgängen. Ein paar von ihnen drehten sich um und feuerten in die Menge, aber obwohl ein paar Leute stürzten, rannten die anderen darüber hinweg und schnappten sich die Schützen, die sie in einer rasenden Orgie der Katharsis zerfleischten. Lange aufgestauter Zorn und unbewußter Haß auf das, was die Vigilanten verkörperten, brach plötzlich mit aller Macht durch. Einer nach dem anderen wurden die Vigs gestellt und buchstäblich in Stücke gerissen...
Cole folgte Catz aus dem Bogengang unter der Empore heraus und in den Flur. Von dort schlugen sie sich zum Südeingang durch.
Draußen schienen die Geräusche der Stadt und der Verkehrslärm gedämpft und kaum wahrnehmbar nach dem Sturm im Innern der Halle, den sie eben hinter sich gelassen hatten.
Sie rannten Seite an Seite über den Parkplatz und wichen den Wagen aus, die wie verrückt herumkurvten. Catz lief weit vor Cole auf eine Gruppe von fliehenden Vigilanten zu, die etwa fünfzig Meter entfernt waren. Die Nachtluft sang rasselnd in Coles Lungen, seine Ohren dröhnten noch von der Lautstärke des Konzerts.
Das Panorama der parkenden Fahrzeuge verwandelte sich vor Coles Augen in ein Labyrinth gerader Gänge und rechteckiger Felder, während er Catz immer weiter folgte. Er keuchte, sein Gesicht brannte.
Vor ihnen, direkt hinter einem verbeulten, schwarzen Cadillac, kletterten drei Männer ins Führerhaus eines blauen Datsun-Lieferwagens, über dessen Ladefläche eine weiße Campingplane gespannt war. Ein '79er Modell. Die Lichter des Wagens gingen an, der Motor wurde gestartet.
Catz rannte im Bogen auf das Heck des Fahrzeugs zu. Die Hintertür des Wagens war offen, wahrscheinlich hatten die Vigs noch andere mitgebracht. Andere, die sie nun im Stich ließen. Catz schwang sich mit Leichtigkeit hinein. Cole taumelte außer Atem hinter ihr her und kletterte un-

geschickt über die niedere Einfassung. Er war halb drinnen, als der Wagen anfuhr und er fast wieder auf den Asphalt zurückgeworfen wurde. Aber Catz griff nach seinem Kragen und zerrte ihn grob herein. Beim Hineinfallen schlug er sich unsanft das Kinn an und unterdrückte gerade noch einen wüsten Fluch. Im Inneren des rumpelnden Wagens war es finster, aber falls die drei Männer vorne zurückblickten, konnten sie die blinden Passagiere möglicherweise sehen.

Cole folgte Catz auf Händen und schmerzenden Knien über kaltes Metall zu einer Ecke unter dem Fenster zum Führerhaus, wo sie sich an gegenüberliegenden Ecken niederkauern und sich so vor den Blicken von vorne verbergen konnten.

Cole hatte keine Waffe. Er tastete in der Dunkelheit suchend nach etwas Geeignetem, seine Finger schlossen sich um eine Metallstrebe.

Der Lieferwagen preschte mit quietschenden Reifen um mehrere Ecken. Es war eine kurze Fahrt, vielleicht fünf Minuten. Die Verspannung der Plane rasselte wild.

Das Fahrzeug wurde langsamer, das Rasseln leiser. Das Rumoren des Motors sank zu einem Brummen herab, dann bemerkte Cole, wie der Wagen in eine Seitenstraße einbog und heftig abgebremst wurde. Der Motor erstarb. Cole richtete sich wartend auf. Er hielt die Strebe immer noch umklammert, war aber sorgsam darauf bedacht, sie noch nicht aufzuheben, um nicht versehentlich gegen etwas zu stoßen, womit er sie verraten hätte. Er hielt den Atem an. *Das ist Wahnsinn,* dachte er. *Catz ist verrückt geworden.* Die Vordertüren wurden zugeschlagen. Coles Kopf, den er gegen die Wandung des Führerhauses gepreßt hatte, schmerzte unter der Vibration.

Vielleicht sehen sie nicht hinten rein, dachte er.

Er hörte Schritte, die sich vom Wagen entfernten und entspannte sich sichtlich. Er fühlte sich schon sicherer... Bis eine dunkel umrissene Gestalt hinter dem Wagen ihn mit einer blendenden Taschenlampe mitten ins Gesicht strahlte.

VIIEEAAH!

Cole umklammerte die Metallstrebe auf dem Boden des Lastwagens fester und wartete, bis der Mann mit der Taschenlampe und dem Gewehr, der sich gebückt auf sie zubewegte, im klammen, halbdunklen Innenraum direkt über ihm aufragte. Seine Züge waren zu einer Fratze verzerrt, die von der Taschenlampe von unten her beleuchtet wurde. Dann sprang Cole auf, riß an der Strebe und legte sein ganzes Gewicht in den Schlag...

und schrie auf, als seine Hand die Bewegung nicht mitmachte, er aus dem Gleichgewicht kam und schmerzhaft auf den Rücken fiel. Die Strebe war am Boden festgeschraubt. Es war der Griff, mit dem man die Bodenklappe öffnete.

Das war überhaupt nicht komisch, dachte Cole – warum lachte der Vigilant dann?

Coles rechter Arm schmerzte, er fragte sich, ob er ihn sich ausgekugelt hatte. Hätte er einen eigenen Mund gehabt, der Arm hätte zweifellos geschrien, als der Vigilant einen Hebelgriff ansetzte, um Cole auf den Bauch zu werfen. Der Mann schloß Coles Hände in Handschellen ein.

Aus den Augenwinkeln heraus sah Cole eine rasende Bewegung. Er hörte einen metallischen Aufprall, danach unterdrückte Flüche.

Mit dem Gesicht nach unten liegend konnte Cole nur zuhören und aus dem Weg rollen. Es roch nach Benzin, Gummi und dem Schweiß des Vigilanten. Er selbst hatte den metallischen Geschmack seiner Furcht im Mund. Der Strahl der Taschenlampe flackerte wie irrsinnig unter der Plane umher – und ging aus.

Catz schrie. Der Vigilant grunzte triumphierend.

Vielleicht vergißt er mich, wenn ich ganz still hier liegenbleibe, dachte Cole.

Die Taschenlampe wurde wieder eingeschaltet, kurz darauf gesellte sich noch ein zweiter Strahl dazu. Ein anderer Mann – oder war es eine große Frau, denn die Stimme war hoch – stand undeutlich hinter der Lampe am Ende des Wagens. »Du Rindvieh«, sagte er, »du hättest sie einzeln rauskommen lassen sollen, anstatt zu ihnen in den Wagen zu steigen. Du könntest jetzt hinüber sein!«

Wäre er auch, wenn ich nicht so ein Scheißpech gehabt hätte, dachte Cole.

»Halt's Maul«, knurrte der Vigilant neben Cole. Der Atem des Mannes ging keuchend, sein Gesicht erinnerte an einen übergroßen Fötus. Es sah unter dem Nylonstrumpf irgendwie unfertig aus. Er zerrte etwas an Cole vorbei.

Zerrte Catz vorbei. *Wie einen Müllsack,* dachte Cole, dem Tränen in den Augenwinkeln standen.

Ohne nachzudenken bäumte er sich plötzlich in maßloser Wut auf, trat nach dem Mann und traf ihn am Schienbein.

»Scheiße!« brüllte der Mann und taumelte zurück.

Dann kletterten andere in den Wagen und packten Cole unsanft an Ärmeln und Kragen und zogen ihn von der Ladefläche herunter und durch die Nacht davon. Er fühlte sich seekrank. »Stadt...« murmelte Cole heiser, während die Fremden ihn auf die Beine stellten und dann durch eine Tür stießen.

»Was hat er gesagt?« fragte jemand hinter ihm.
»Ich glaube, er sagte ›Matt!‹«, antwortete ein anderer und fügte noch hinzu: »Tss tss tss.« Cole und Catz wurden in ein Haus gebracht. Sie legten Catz auf ein schwarzes Sofa.
Stadt! Aber vielleicht war Stadts Einfluß hier geschwächt, schließlich befand man sich hier in Oakland, jenseits der Bucht und südlich von San Francisco. Weit vom Herzen der Stadt entfernt und vielleicht auch außerhalb ihres Machtbereichs. Aber sie waren nicht weit gefahren, sie konnten nicht weit vom Oakland-Auditorium entfernt sein. Und dort hatte ihnen Stadt auch geholfen.
Sie ließen Cole auf den Boden fallen – auf den Bauch. Er stöhnte, als der Aufprall ihm die Luft nahm. Er röchelte, inhalierte hastig und bekam wieder genügend Luft, aber er mußte auch etwas Staub vom Boden einatmen. Füße in Stiefeln paradierten an seiner Nase vorbei, dann hörte er Lachsalven, aber überwiegend zornige Laute. »Bleib weg vom Fenster, du blödes Arschloch!« und: »He, verpiß dich, die Nachbarn geben keinen...« und: »Ja, aber da fährt so 'n verflixter Streifenwagen vorbei, und die Jungs haben nicht...« und: »Haltet endlich mal das Maul, Jungs!«
Catz lag auf der Couch rechts von ihm. Langsam, mit schmerzendem Arm, rollte er sich auf die linke Seite, bis er die Couch sehen konnte. Es war eine staubige Vinylcouch, die mit Zigarettenasche verschmiert war. Vom Boden aus konnte er lediglich Catz' leblosen, rechten Arm sehen. Zum ersten Mal dachte er daran, daß sie tot sein könnte.
Daß sie tot sein könnte.
»He, müssen wir diese Masken die ganze Nacht tragen, oder was?« fragte jemand.
Die Stimme der Frau antwortete. »Klar, Blödmann, wir müssen sie tragen, bis wir die zwei weggeschafft haben. Ich glaube, wir sollten sie blenden.«
»Warten wir doch, was Salmon sagt.«
»*Wer hat das gesagt?*« brauste die Frau auf.
»He-äh-Scheiße, die kommen sowieso nicht mehr lebend hier raus, da können sie uns genausogut sehen. Zwecklos, unsere Worte abzuwägen, wo doch...«
»Du Arsch, alles kann passieren. Vielleicht will er 'ne kleine Fahrt mit ihnen unternehmen. Das bedeutet, wir müssen sie freilassen, und dann...«
»Jetzt nicht mehr, wo dieser Depp hier sein Maul wegen Sa...«
»He, was willst du mir jetzt wieder reinwürgen? Ich schluck' diese Scheiße nicht, wir müssen...«
»He, das ist ja eins von diesen Punkmädchen!«
»He, die Schlampe hat ja 'ne nackte Titte!«

Cole fühlte sich elend.
»He, könnten wir sie nicht ein paar Minuten mit ins Schlafzimmer nehmen...?«
Nun war es Cole definitiv zum Kotzen.
»Hört mal her, Salmon hat drei verdammte Wochen lang nichts mehr auf mein Konto überwiesen, und bis er das tut, werde ich...«
Cole nieste, da ihm Staub in die Nase drang.
»He, wir kommen durch. Er hat auch schon von den komischen Vorfällen im Auditorium gehört und weiß nicht, was mit dem Holo passiert ist... Sagt, wir sollen über sie rausfinden, was wir können und ihnen dann Alcatraz aus der Fischperspektive zeigen.« Gelächter. »Sagt, wir sollen die Masken vorläufig aufbehalten.« Stöhnen. Jemand packte Cole an den Handschellen. Er wurde brutal hochgezerrt und biß sich auf die Zunge, um nicht aufzustöhnen, als das Metall der Handschellen in seine Gelenke schnitt und sein geschwollener Arm herumgedreht wurde. Benommen und schlotternd sah er sich um. Ein kaum möbliertes Wochenendhaus. Neu, aber schmutzig. Etwa dreißig von *ihnen* lungerten an Türen und Fenstern herum oder saßen am großen Holztisch neben der Kochnische. Zwei von ihnen standen direkt vor ihm und warteten wohl auf ein Zeichen. Sie hatten sich ein wenig zu ihm herabgebeugt, ihre Muskeln waren gespannt. Alle trugen Strumpfmasken mit feuchten Flecken über den Mündern. Ihre Gesichtszüge wurden von den Masken flachgedrückt, als würden sie ihre Gesichter gegen unsichtbare Scheiben pressen.
Neben ihm lag Catz immer noch auf der Couch. Jemand hatte ihr die Plastikmaske abgenommen. Sie atmete regelmäßig, und ein schwerer Druck wurde von Coles Brust genommen. *Sie lebte.*
Während er sie beobachtete, öffnete sie die Augen. Aber sie blieb weiter still liegen und heuchelte Bewußtlosigkeit.
Cole sah den über ihm stehenden Mann an...
»Okay«, sagte die Frau.
Klar, die ersten Schläge schmerzten. Die ersten fünf oder sechs. Später konnte er sich nicht mehr so genau daran erinnern, aber er versuchte wegzulaufen und schrie. Sie hielten ihn von hinten fest. Nach jedem Schlag stellten sie ihm Fragen. Ausgehend von seiner rechten Schläfe jagte ein Poltern durch seinen Kopf, das bald zu einem donnernden Röhren wurde. »In deinem Paß steht *Stu Cole*, und einer der Jungs kennt deinen Club. Und wir wissen, daß dir nicht gefällt, was wir vorhaben. Also: Wie hast du uns im Konzert so verarschen können?« (Cole antwortete nicht.) Seine linke Wange wurde von einer Faust getroffen, und der Schmerz strahlte nach allen Seiten ab, als wäre er aus Glas und an dieser Stelle zersprungen. »Was hattest du mit diesen merkwürdigen Holos zu tun, die die *Angstrocker* auf uns hetzten?« (Cole antwortete nicht.)

Ein häßlicher Schlag auf seinen Mund, gefolgt von Blut, das aus den geplatzten Lippen tropfte und sein Hemd besudelte. »Warum bist du in unseren Wagen gestiegen? Wolltest du unseren Versammlungsort ausspionieren?«

»Nein«, antwortete Cole undeutlich und spuckte Blut. Sein Mund schmeckte wie ein ölverschmutzter Strand bei Ebbe. »Falscher Wagen. Suchte den eines Freundes. Panik.« *Das werden sie mir nie abkaufen,* dachte er.

Zack! Wieder auf den Mund, ein Zahn lockerte sich knirschend, sein Kopf klingelte. »Sollen wir dir diese Scheiße abkaufen? Wir nicht. Komm schon, Hurensohn: Warum bist du in den Wagen gestiegen?«

Cole antwortete nicht.

Zack! Zack! Zweimal rasch in den Solarplexus. Die Luft wich aus seinen Lungen, und er klappte so gründlich zusammen, daß er sich den Kopf an den Knien anschlug.

»Ich fragte, was du, zum Teufel, auf unserem Wagen gemacht hast?« fragte das plattgedrückte Gesicht.

Cole hatte keinen Atem zum Antworten. Er sank auf die Knie. Der Raum war mit leuchtendem, purpurnem Schnee gefüllt. Er kniff die Augen zusammen. *Fest.*

Einen Augenblick, möglicherweise auch mehrere Augenblicke, schien er in eine glitzernde Dunkelheit zu fallen. Dann riß ihn ein Geräusch zurück. Catz schrie. Er blickte auf. Sie schlugen sie.

Schlugen sie mit einer Flasche.

Eine Frau (Cole konnte undeutlich ihre Gestalt unter ihrer Kleidung erkennen – eine stämmige Frau, möglicherweise jung) hatte Catz' Haar mit einer behandschuhten Faust umklammert. Und neben ihr trat ihr ein großer Mann mit schweren Stiefeln wiederholt in die Rippen.

»He!« gellte Cole. »Was... äh, was wollt ihr wissen?«

»Wußte ich doch, daß ihn das wieder zu uns zurückbringt«, sagte einer der Männer und wandte sich von Catz ab, Cole zu.

Das Licht erlosch.

Und kaum war die Dunkelheit hereingebrochen, da wurde sie auch schon wieder von flammenden Blitzen zerrissen, die aus den Steckdosen und aus leeren Glühbirnenfassungen herausschlugen und an den Wänden zu lekken begannen.

Gestalten eilten vorüber. Cole raffte sich auf die Knie, stand dann auf. Er hörte ein klickendes Geräusch, dann fielen die Handschellen von ihm ab.

»Stadt...« stieß Cole dankbar zwischen blutenden Lippen hervor.

Während er nach Catz tastete, hörte er Fragmente der verwirrten Unterhaltung der Vigs...

»Was is denn hier...«

»Wer macht denn das...«
»Jeesus, ich seh' kein bißchen...«
»Könnten Freunde von...«
»Verfluchtes Feuer, laßt uns von hier...«
»Sieht aus wie 'n äh, elektrisches Feuer...«
»Zum Teufel, laßt sie doch hier...«
»Nein, nehmt sie mit...«
Cole versuchte Catz zu tragen. Schmerz durchpulste seinen Arm, seine Augen wurden trübe. Er ließ sie wieder auf das Sofa fallen. Rauch quoll durch die Dunkelheit. Jemand stieß ihn im Vorübergehen um: Er stürzte auf die rechte Seite. Die Flammen schlugen höher, die Hitze leckte ihm die Feuchtigkeit von den Wangen. Der Raum wurde von einem unregelmäßigen Flackern erhellt, rote und blaue Flammen tanzten in der Dunkelheit. Die meisten der Vigs waren verschwunden. Zwei rannten eben durch eine Seitentür hinaus. »Catz – he...« sagte Cole, in dessen Kehle der Rauch brannte, und zog sie am Arm. Sie bewegte sich nicht. »Catz, Stadt hat das verdammte Haus in Brand gesteckt, damit wir rauskommen – und jetzt müssen wir auch raus, sonst verbrennen wir!« Seine Stimme klang wegen des Blutes in seinem Mund undeutlich.
Sie stöhnte und wich vor ihm zurück. Sie begann zu husten und riß die Augen weit auf. Dann schlug sie eine Hand über ihren Mund. Cole half ihr auf die Beine. Die Augen tränten ihm vom Rauch, die Flammen leckten an ihm, er schwitzte, doch der Schweiß verdampfte rasch wieder. Sie taumelten unsicher auf die Tür zu, ein eitergelbes Rechteck, das von Rauch verschleiert wurde und in der Hitze waberte. Catz' Hand löste sich aus seiner, und (da er das als Zeichen wertete, daß sie alleine gehen konnte) Cole rannte vorwärts, während die Flammen mit neuer Intensität aufloderten. Das Entsetzen verlieh ihm Bärenkräfte.
Er vermutete, daß Catz direkt hinter ihm kam.
Er rannte durch eine finstere Kochnische und zur Seitentür hinaus, wo er sofort Schutz hinter Büschen suchte und keuchend die kühle Luft einatmete. Zwei Lastwagen fuhren vor dem Haus an. Jemand rannte vorbei und brüllte etwas aus voller Lunge. Männer drängten in einen Sedan. Schwarze standen in einer kleinen Gruppe auf dem Gehweg, taten aber nichts.
Cole sah sich verzweifelt um. Catz war nicht da. »Catz!« brüllte er wie von Sinnen, während er sich wie ein Automat auf das Haus zubewegte.
Zwei Männer kamen zur Vordertür heraus. Sie trugen etwas zwischen sich. Cole flüchtete sich in den Schutz einer Garage und betrachtete sie eingehend. Er erkannte die Gestalt zwischen den beiden an ihren Umrissen: Es war Catz, die sich wehrlos von ihnen verschleppen ließ. Als sie sie in die Garage trugen, duckte er sich.

Er hustete. Er sah sich benommen nach einer Waffe um. Aber in diesem Augenblick leuchteten zwei Scheinwerfer in der Garage auf, gefolgt vom Stottern eines Motors, der kurz danach ansprang. Ein blauer Sedan rollte auf die Fahrbahn, auf die Straße, wendete – und trug Catz von ihm fort.

»Sind Sie ganz sicher?« fragte Cole das zerfurchte Gesicht des schwarzen Hotelmanagers.
»Klar bin ich sicher. Das Fernsehgerät funktioniert klasse«, antwortete der Mann. »Aber warum sind Sie so versessen aufs Fernsehn? Sollten 'nen Arzt aufsuchen, wenn Sie mich fragen, mein Sohn. Himmel, Ihr Gesicht sieht aus, als wenn jemand mit 'nem Laster drübergefahren wär. Soll ich Ihnen Heftpflaster...«
»Nein!« rief Cole. Der Mann sah ihn verblüfft an. Cole lenkte ein. »Nein, ich hab's eilig. Ein Freund von mir kommt im Spätprogramm. Muß ihn ungedingt sehen. Hinterher werde ich mich waschen. Bin gegen 'nen Laternenpfahl gelaufen.«
»Ich kann Sie nicht einfach so zum Fernsehn reinlassen. Muß was fürs Zimmer verlangen, egal wie lang Sie drin sind«, sagte der Manager achselzuckend.
»Ja, ja, okay...«
Der alte Schwarze nahm Coles Karte und schob sie in das Terminal. Er begutachtete das Resultat auf dem schmalen Schirm, nickte und gab die Karte zurück.
Cole stand ungeduldig da und trat von einem Fuß auf den anderen, bis der langsame Alte den Schlüssel gebracht hatte. Nummer sieben.
Cole schnappte sich den Schlüssel und rannte zur Tür hinaus. Seine Seite schmerzte (er fragte sich, ob wohl ein paar Rippen gebrochen waren), seine Lippen begannen wieder zu bluten. Er checkte die Türnummern ab, bis er die Sieben gefunden hatte, dann drehte er hastig den Schlüssel im Schloß um. Sie öffnete sich beim ersten Versuch, er atmete erleichtert auf. Er stürzte in den muffigen, dunklen Raum und ließ die Schlüssel achtlos im Schloß baumeln. Er lief zum Fernsehgerät, steckte seine BGE-Karte in den Schlitz und schaltete ein. Der Bildschirm wurde hell.
»Stadt!« schrie Cole. »Los komm, sprich zu mir!«
Ein blanker Schirm flimmerte vor ihm.
»Ich weiß, daß du zuhörst!« brüllte Cole. »Komm schon, verdammt noch mal!«
Das blau-weiße Rechteck flackerte zwar, aber sonst geschah nichts.
»Stadt! Zeig dich und sprich mit mir, sonst werde ich die Stadt verlassen und alles dem verdammten *National Enquirer* erzählen!«
Und Cole wartete.
Nichts.

Er drückte wahllos alle Kanäle. Nachrichten, Pornos, Rateshows, *Neuestes vom Tage. Die Disziplinstunde für Kinder mit James Bondage*... nirgends war Stadt. Er kehrte zu dem Kanal ohne Programm zurück. *Catz.*
Cole wartete mit geballten Fäusten und fragte sich, wohin sie sie gebracht haben mochten. In weiter Ferne hörte er Feuerwehrsirenen, die sich dem nördlich gelegenen brennenden Haus näherten.
Cole stand straff und schwankend vor dem Fernseher, wie eine Antenne im Sturm.
»*Stadt!*« heulte Cole, dessen Stimme heiser wurde.
Und dann war plötzlich ein zweidimensionaler Typ auf dem Bildschirm, seine Gesichtszüge waren bullig und kantig.
»Stadt... Warum hast du sie nicht gerettet? Warum hast du den Wagen nicht angehalten?«
»Ich habe mich entschieden, auf die Hilfe der Frau zu verzichten.«
»Was? Warum?«
»Sie ist nicht loyal.«
»Bist du... *Was?* Heute nacht hat *sie* mich angespornt! Sie hat alles getan, was du verlangt hast...«
»Nein... Ich kann sie in mir fühlen. Ihre Gedanken. Sie mißtraut mir. Sie macht nur deinetwegen weiter. Sie glaubt, sie beschützt dich. Ich will das nicht. *Ich* kann dich beschützen!«
»Sie beschützt mich? Wovor?«
Stadt antwortete nicht.
»Hol sie raus.«
»Nein.«
Cole öffnete den Mund. Er starrte den Bildschirm ungläubig an. »Nein«, wiederholte er kopfschüttelnd. »Nein? Hör zu, du sollst sie nicht mehr einsetzen. Hol sie einfach nur lebend da raus und laß sie... laß sie gehen.«
»Das kann ich nicht. Ich habe gegenwärtig nicht die Energie. Ich habe heute nacht zuviel Energie verbraucht. Ich bin schwach.«
Damit verschwand das Bild.
»Lügner! Verdammter, dreckiger *Lügner*«, sagte Cole zu dem Bildschirm. Er drehte sich um, ging zur Tür hinaus, lief zu einer Telefonzelle. Und rief ein Taxi.

Aber Cole wartete noch bis zum nächsten Tag, bevor er etwas unternahm. Die ganze Nacht schritt er in seinem Zimmer auf und ab und rauchte eine Zigarre nach der anderen, bis sein Mund wie ein Dieselmotor schmeckte und kalter Rauch überall im Zimmer hing. Ein halbes Dutzend Male ging er zum Telefon, um Bill anzurufen, mit dessen Hilfe er ein paar Schläger anheuern wollte, die Catz befreien sollten. Jedesmal ging er zum Telefon und begann mechanisch die Wählknöpfe zu drücken. Und jedesmal unterbrach er die Verbindung wieder, wenn es am anderen Ende klingelte. Denn wenn Stadt Catz wirklich aus dem Weg haben wollte, dann konnte er Cole daran hindern, zu ihr zu gelangen. Nachts.

Am Tag konnte Stadt ihn nicht aufhalten.

»Vielleicht tun sie ihr gerade eben etwas an«, murmelte Cole. »Schlagen sie.«

Gegen zwei Uhr sagte er zu sich: »Vielleicht schlagen und vergewaltigen sie sie.«

Gegen drei Uhr klang seine Stimme viel höher als gewöhnlich: »Vielleicht schneiden sie ihr den Hals durch!«

Gegen vier Uhr weinte er.

Gegen fünf Uhr begann er zu trinken. Cole trank nicht oft, aber wenn er es tat, dann mit aller Wut. *Mit aller Wut* – das ist der richtige Ausdruck: Er trank immer nur dann, wenn er eine Wut auf jemanden hatte. Als würde diese Selbstbetäubung irgendwie dazu beitragen, seine Feinde vom Erdboden zu tilgen.

Gegen sieben taumelte er, und ihm war schlecht. Trotzdem versuchte er, noch einen Gin Tonic hinunterzukippen. Er schaffte es nicht mehr bis ins Badezimmer, daher mußte die Spüle herhalten.

Er beugte sich würgend über das ungespülte Geschirr, hustete ihren Namen und dachte: *Gott helfe mir, ich habe mich in sie verknallt.*

Nach einer Weile klärte sein Brummschädel sich so weit, daß er Kaffee kochen konnte. Seine Hände zitterten, und er verbrühte sich mit heißem Wasser. Er trank vier Tassen Kaffee. Als er den Arm hob, ließ ihn der Bluterguß laut aufstöhnen.

Der Kampf des Koffeins mit dem Alkohol führte zu Kopfschmerzen, die wie Kirchenglocken in ihm dröhnten. Er wechselte hastig die Kleidung, danach wusch er sorgsam die Platzwunden in seinem Gesicht aus. Nach dem ersten Blick versuchte er kein zweites Mal, sich im Spiegel anzusehen.

Dann rief er Salmon an.

»Mr. Salmon würde gerne sehen, mit wem er spricht«, sagte die Sekretärin. Nur die Stimme. Hörte sich nach einer alten Frau an.

»Tut mir leid. Äh ... mein Schirm ist vollkommen tot – in beide Richtungen. Mr. Salmon kennt den Grund. Ich kann ihn auch nicht sehen, wenn das ein Trost ist. Aber sagen Sie ihm, hier ist Stu Cole, und es geht um seine Jungs beim Konzert.« Sie hielten ihn zwanzig Minuten lang hin.

Vielleicht sind sie schon unterwegs hierher, dachte er. Er hatte eine Pistole im Schrank versteckt, im Schuhkästchen auf dem Boden.

Er ging zum Fenster. Auf der Straße schien alles normal. Poster an den

Hauswänden überlagerten einander wie die Andenkenaufkleber auf der Reisetasche eines Globetrotters. Mexikanerkinder spielten auf einem Gehweg, gegenüber zog eine singende Schar Negerkinder vorbei.
Ein Zuhälter stand mit jemandem neben einer BGE-Einheit an der Ecke.
»Nun, Cole?« fragte Salmons Stimme am Telefon.
Cole wandte sich vom Fenster ab und rannte zum Telefon. Gewohnheitsmäßig starrte er beim Sprechen den Bildschirm an, obwohl dieser nichts zeigte. »Salmon? Hören Sie, Sie kennen mich nicht – oder wir haben uns noch nicht kennengelernt, aber...«
»Ich weiß, wer Sie sind. Aber, was zum Teufel, wollen Sie von mir?«
»Ich weiß genau, für wen Sie arbeiten und für wen die Vigs arbeiten. Und die haben gerade jemanden... ich glaube, Sie wissen Bescheid, wen ich meine.« Entfernt hörte Cole, wie jemand die Treppe des Apartmenthauses heraufkam.
»Da sind Sie an der falschen Adresse, Freundchen. Wir betreiben hinsichtlich der Vigs Nachforschungen und werden bald...«
»He, *hören Sie auf mit dieser Farce!*« rief Cole, und jede Silbe bohrte glühende Nadeln in seinen Schädel.
Es folgte eine kurze Stille. »Salmon? Sind Sie noch dran? Können Sie mich hören?«
»Ja... Sehen Sie, Mr. Cole, wenn Sie erklären, was Sie von mir wollen, dann bin ich gerne bereit...«
»Hören Sie mal, verarschen laß ich mich nicht von Ihnen. Wenn Sie glauben...« Cole brach ab und lauschte den Schritten, die unaufhaltsam näherkamen. Es waren mehrere Füße, die sich mit unüblicher Hast bewegten.
»Zum Teufel mit Ihnen, Salmon!« gellte Cole zu dem Schirm und rannte zum Schrank. Während die Eingangstür eingetreten wurde, riß er die Schranktür auf. Das Schloß der Wohnungstür gab nach, aber wie er den Flüchen entnehmen konnte, hatte die Sicherheitskette gehalten. Ein weiterer Tritt gegen die Tür bewies, daß sie noch nicht in die Wohnung eingedrungen waren. Cole riß die Schuhschachtel aus dem Schrank... fand die Waffe und hob sie in dem Augenblick, als der Mann mit der Maske hereinstürmte und vor den Bildern der Stadt stehenblieb.
Sowohl Cole als auch der Eindringling waren bewaffnet.
Aber Coles Waffe war erhoben, die des anderen dagegen an dessen Seite gepreßt.
»Ich bin ein guter Schütze«, log Cole, »und ich ziele genau auf deine Brust, Junge. Rühr dich also nicht. Wenn deine Freunde hereinkommen, werde ich dich abknallen.« Die Andeutung einer Bewegung hinter dem Mann erstarb.
Der Mann erstarrte, sein maskiertes Gesicht starrte Cole an.

»Hört mal zu, äh...« Cole hoffte inständig, daß der Mann das Zittern seiner Hände nicht bemerken würde. »Ich kann eine Hypothek auf den Club aufnehmen, einen Kredit zusammenbetteln – wir könnten uns arrangieren. Was sagt ihr dazu? Wer bei euch auch das Sagen hat – äh, sagt ihnen, ich werde für ihre Freilassung bezahlen.«
»Warum rufen Sie nicht die Polizei?« Die Lippen bewegten sich mechanisch unter dem rosa Stoff.
»Sehr witzig«, antwortete Cole und kämpfte gegen seine Kopfschmerzen an. »Die Bullen fressen euch doch aus der Hand.«
»Sie können nicht genügend Geld für ihre Freilassung auftreiben. Wir haben daran auch schon gedacht. Jemand weiter oben wird sich heute nacht *ernsthaft* mit ihr unterhalten, dann schicken wir sie mit der Post zurück. Wahrscheinlich werden wir vier Pakete brauchen, um sie ganz herschicken zu können.« Jemand hinter dem Mann lachte. Er richtete sich auf, als hätte er dadurch an Mut gewonnen, seine Hände drückten die Waffe, die er immer noch umklammert hielt.
Ich sollte ihn töten, dachte Cole. *Aber wieviel Morde kann ich noch ertragen?*
»Sagen Sie mir, wo sie ist, dann werde ich Sie nicht töten. Das ist alles«, sagte Cole.
»Warum holen Sie sie nicht? Sie ist noch dort, wo Sie sie zuletzt gesehen haben.«
»Ich sah sie... auf der Straße. In einem Auto.« Coles Arm begann zu schmerzen, er hielt die Waffe mit beiden Händen, auf Armeslänge ausgestreckt.
»Die Feuerwehr war schnell da. Die Feuerwache ist ganz in der Nähe. Das Feuer war nicht schlimm. Der rückwärtige Teil des Hauses ist okay. Wir haben noch Materialien dort, daher sind wir einfach wieder zurückgekehrt. Sie ist dort... Wir verschwanden, bevor die Bullen von Oakland kamen. Fünf Minuten nach ihrer Abfahrt waren wir wieder zurück. So einfach ist das.«
»Stehen die nicht auf der Gehaltsliste, die Bullen von Oakland?« fragte Cole beiläufig.
»Idiot!« zischte jemand.
Gute Information. Konnte nützlich sein. Keine Verbindung zur Polizei Oaklands. Aber warum trafen sie sich dann in Oakland? Vielleicht deshalb, weil sich in den Elendsvierteln von Oakland keiner darum kümmerte, wer sein Nachbar war.
»Okay«, sagte Cole. »Raus in den Flur. Aber legen Sie zuerst Ihre Waffe ab.« Die Waffe fiel zu Boden, der Vig wich langsam zur Tür zurück und verließ das Apartment. »Ich hab' hier drin noch ein paar Freunde mit Knarren«, log Cole. »Verschwindet also besser ganz plötzlich!«

Er hörte ihre Schritte, als sie die Treppe runterliefen.
Als er sicher war, daß sie das Stockwerk verlassen hatten, stieg er zum rückwärtigen Fenster hinaus, die Feuerleiter hinunter und in eine enge Hintergasse. Er hetzte die Gasse hinunter und stieg schließlich durch ein zerbrochenes Fenster in ein verlassenes Gebäude ein. Im Dämmerlicht tastete er sich durch das Haus, bis er einen Ausgang gefunden hatte. Dann trat er hinaus auf die Straße und rannte los.

FÜNNFF!

Nur schnell. Er hatte sich Bills Wagen geliehen und fuhr wie irrsinnig durch den Regen. An die Gefährlichkeit der regennassen, glatten Straße verschwendete er keine Gedanken.
Zwei Minuten nachdem er sein Apartment verlassen hatte, hatte es zu regnen begonnen. Er war tropfnaß gewesen, als er seinen verschlafenen und verständnislosen Assistenten geweckt und einfach mit dem Versprechen, alles abends zu erklären, die Autoschlüssel verlangt hatte. Bill war zu müde zum Fragen gewesen.
Cole rutschte unbehaglich auf dem Vinylsitz hin und her, seine Hose war naß, sein Hemd klebte am Rücken. Die Heizung des Chevy Swift war an, die Fenster geschlossen. Das Wasser in seiner Kleidung verdampfte bereits und verwandelte das Wageninnere in ein Treibhaus. Er roch sein nasses Haar und kalte Asche im Aschenbecher. Er hatte einen ekelhaften Zigarrengeschmack im Mund. Die Kopfschmerzen hatten zwar langsam nachgelassen, waren aber von einem teuflischen Brennen im Magen abgelöst worden.
Die Straßen glänzten alle gleich naß und pechschwarz, als wären sie von etwas Organischem überzogen, von einer dünnen Membran.
Der lahme, zweitürige Sedan, dessen verbeulte Motorhaube gelegentlich in ihrer Verankerung schepperte, raste auf den Freeway. Er schlingerte ein wenig. Cole heftete den Blick fest auf die Verkehrskontrolle. Das Verkehrsführungssystem war in der Stadt selbst nicht installiert und weniger als die Hälfte der Wagen auf der Straße für einen Anschluß daran geeignet, daher bot es nur einen recht zweifelhaften Schutz. Cole machte der Schlafmangel zu schaffen, seine Augen brannten, deshalb beschloß er, außerhalb der Stadt doch das Führungssystem zu benützen. Er schaltete die Einheit ein und lehnte sich zurück. Das Lenkrad suchte sich nun selbst den Weg. Es war aber immer noch ungewohnt für ihn, zu sehen, wie das Steuerrad sich selbständig drehte, ohne sein Zutun, und wie die Bremse

von ganz alleine niedergedrückt wurde, um auf ein langsamer fahrendes Auto vor ihnen Rücksicht zu nehmen....

Der Swift ratterte an den Zollgebäuden vorbei und fuhr hinaus auf die Brücke. In dem windigen, naßkalten Morgen war die See der Bucht eine Scheibe aufgerauhter Jade, die zu alt und erhaben schien, um sie einfach durch eine Hängebrücke ans Land fesseln zu dürfen. Die See, die auf das unausweichliche Erdbeben wartete und dessen letztem Gelächter über die künstliche Zivilisation.

Cole sah über die Schulter. Die perlweißen Türme der Stadt ragten aus den Nebelbänken hervor, die aus dieser Perspektive wie die Hochbauten einer exotischen, fremdartigen Rasse erschienen. Coles Herz schmerzte, als er die Umrisse des Pyramid Building ausmachte und dabei an einen Mann dachte, der sein Leben zuckend auf einem Teppich aushauchte.

Er sah wieder nach vorne, wo Berkeley und Oakland näherkamen. Cole lehnte sich zurück. Er ließ die Hand auf dem Knauf der Pistole in seiner Tasche ruhen. »Und *was* willst du tun?« fragte er sich. »Ihnen androhen, sie alle zu erschießen?« Aber wen sollte er zu Hilfe rufen? Die Polizei von Oakland? Aber nein... denen hätte er alles erklären müssen... Aber wenn dies sich als die einzige Möglichkeit erweisen sollte...

Der Motor des Wagens hustete einmal, als wollte er sagen: *Hör auf, mit dir selbst zu sprechen, Cole, das stört mich.*

»Es ist kein anderer Gesprächspartner da«, sagte Cole.

Mit sich selbst zu sprechen ist eine schlechte Angewohnheit, antwortete das Auto rumpelnd und klappernd. *Unterhalte dich lieber mit mir.*

»Oh, *Scheiße!*« fluchte Cole. Seine Schwäche hatte ihn hart an die Grenze zur Halluzination geführt. Und auch die Sorge um Catz und das Bemühen, das zu akzeptieren, was er gesehen hatte. Die Männer töteten. Der Gedanke daran hatte ihn fast an die Grenzen seiner Selbstbeherrschung geführt, einen Zustand, den er, seit er als junger Mann einmal eine Überdosis Drogen eingenommen hatte, nicht mehr erlebt hatte.

Oh, Scheiße, ich will nicht verrückt werden, dachte Cole. Doch dann fiel ihm ein, daß es vielleicht doch nicht einzig und allein an ihm lag. Stadt konnte ihn tagsüber nicht aufhalten, aber er konnte Kontakt mit ihm aufnehmen. Schließlich ist ein Auto auch nur ein bewegliches Teil einer Stadt, wie ein Blutkörperchen in der Ader eines Menschen. Und durch das Auto... *Unterhalte dich lieber mit mir.*

»Nein«, sagte Cole leise vor sich hinlachend.

Entspannen. Überdenk noch einmal, was du vorhast, sagte das Flüstern des Windes, der über den Wagen dahinstrich, sagte der Rhythmus der Zylinder.

Sind das Halluzinationen, oder ist es Stadt? fragte sich Cole. *Oder beides?*

Der Wagen hatte ihn verschluckt. Er brachte ihn gegen seinen Willen weg. Er trug ihn in seinem Bauch zu einer verlassenen unterirdischen Garage, wo er eine einbetonierte Ewigkeit lang warten konnte. Schließlich bewegte sich das Lenkrad ja von selbst. Der Wagen *hatte* einen eigenen Willen. Er fühlte sich gefangen, schmolz in dem Vinylsitz, wurde von den Fenstern eingeschlossen...

Cole ließ den Sitz mit einem zornigen Grunzen hochschnellen und schüttelte sich. Er kurbelte das Seitenfenster herab und ließ sich den kalten Fahrtwind ins Gesicht wehen. Mit einem Erschauern fiel die Desorientierung von ihm ab. Er kurbelte das Fenster wieder hoch, ließ aber einen Spalt offen, damit auch weiterhin frische Luft einströmen konnte. Zusätzlich schaltete er noch das Radio ein. Aus dem Lautsprecher drang ein höllisches Stimmengewirr, bis er einen anderen Sender eingestellt hatte: »... an diesem Punkt erscheint es nicht nur logisch, sondern sogar unausweichlich, daß die Post überwechselt zu elektronischer Auslieferung von Postgütern – ausgenommen natürlich Pakete – und das zu einhundert Prozent! Die gegenwärtigen sechzig Prozent sind in keinster Weise effizient, und wir können kaum darauf hoffen, ein aufgeteiltes Postsystem erfolgreich zu führen. Daher ergibt sich die dringende Notwendigkeit, entsprechende Datenterminals in jedem Heim zu installieren, das die Post zu erwarten hat. Dabei gewinnen die Vorteile gegenüber den Nachteilen bei weitem die Oberhand. Offensichtlich ist ein Brief, den Sie zu Hause tippen und der augenblicklich übermittelt wird – sei es als Ganzes, oder so, wie er geschrieben wird...«

Cole wählte einen anderen Sender. »Keine normale Post mehr, was?« murmelte er. »Zum Teufel, wo ich doch so gerne Briefe öffne.«

Während er den Wellenbereich absuchte, hörte er plötzlich die Worte: »... vermutlich Vigilanten, die...« und suchte daraufhin hin und her, bis er den entsprechenden Sender wieder gefunden hatte. »Aber wenn diese Männer und Frauen keine Diener der Öffentlichkeit sind – und ihr Auftreten hat bewiesen, daß sie wesentlich schlimmer sind als die Robin Hoods, die sie zu sein vorgeben – *was* sind sie dann? Ihr Auftreten bei einem Rockkonzert gestern nacht – und das folgende Blutbad müßten jedermann mehr als nachdenklich stimmen. Ich, als Reporter, bin einfach nicht bereit, die auf einem anonymen Tonband hinterlassene Erklärung zu akzeptieren, nach der das Konzert ›ein Pfuhl der Korruption und Morallosigkeit‹ war. Ich habe selten eine fadenscheinigere Begründung gehört. Bei näherer Betrachtung fanden wir heraus, daß die Band, First Tongue, sich weigerte, bei der Musikergewerkschaft einzutreten, die, wie jedes Kind weiß, von organisiertem Verbrechen beherrscht wird. Sind die Vigilanten also nur eine Tarnorganisation der Mafia?«

»Hört, hört«, sagte Cole nickend.

Als der Swift den Freeway verließ, schaltete er das Radio ab. Der Wagen würde nun parken, wenn er nicht wieder die Kontrolle übernahm. Er befand sich nun außerhalb der Verkehrsführung.
Cole stellte die Einheit ab und griff nach dem Lenkrad. Er bog auf die Ausfahrt mit dem Schild *San Pedro BLVD* ab. Er fuhr etwa eine Meile und biß sich ungeachtet des bohrenden Schmerzes auf die Lippen. Während er sich dem Block näherte, wo er abbiegen mußte, um das Haus der Vigilanten zu finden, begannen die von ihnen verursachten Schwellungen und Blutergüsse zu schmerzen, als wollten sie ihn warnen. »Psychosomatisch«, sagte er zu sich. ...Da war die Straße. Er bog ab. Sein Atem rasselte in seinen Ohren. Er lenkte mit der linken Hand, die rechte hatte er in der Tasche. Sie umklammerte schweißnaß den Kolben der Waffe.
Die Bevölkerung Oaklands war größtenteils schwarz, die Werbetafeln, die hin und wieder am Straßenrand zu sehen waren, zeigten hauptsächlich lächelnde schwarze Menschen, die offensichtlich der Mittelklasse angehörten und Zigaretten, Bier oder Discomusik zusammen genossen. Einige neuere Werbewände waren hinter dicken Glasscheiben verborgen und zeigten bewegliche Holos junger Schwarzer, die zur Musik der Werbung ausstrahlenden Radiostationen tanzten.
Aber aus den Fenstern sahen ihm weniger freundliche Gesichter als die auf den Plakatwänden nach, und vor den Schnapsläden bemerkte er noch elendere Gestalten. Cole kam an zwei selbst errichteten Sektenkirchen vorbei, der HEILIGEN ROCKKIRCHE UNSERES HERRN JESUS CHRISTUS DES ELÖSERS, ›Erlöser‹ war falsch geschrieben, und der HARD CORE KIRCHE VON JESUS CHRISTUS VON GOTTES GNADEN.
Cole lächelte. Sein Lächeln verzerrte sich, als er das Motel sah, in dem er mit Stadt gesprochen hatte. »Stadt...« flüsterte Cole. »Schlafe... oder hilf mir.«
Und da war auch schon das Haus. Zwei schwarze Jungs mit Kraushaar standen an dem zersplitterten Bordstein und besahen sich die verwüstete Front des einstöckigen Gebäudes mit den leeren Fensterhöhlen. Cole fuhr an dem Haus vorbei, sein Herz klopfte schneller als die Zylinder des Motors. Einen halben Block weiter unten hielt er vor einem Spirituosenladen an. *Sie ist da drinnen,* dachte er fiebrig. *Ich bin ihr nahe.*
Er saß zitternd im Wagen.
Beeilung, dachte er. *Rasch.*
Und dann kletterte er aus dem Wagen, die Hand in der Tasche an der Waffe, schlug die Tür mit der linken Hand zu und ging auf das Haus zu.
Was konnte er tun? Er ging im dunklen Schatten eines Motels weiter. Vielleicht konnte er der Polizei von Oakland erzählen, daß dort drinnen Drogenhändler saßen und sie so zum Eindringen bewegen – aber nein, bevor die etwas unternahmen, würden erst Tage der Observierung vergehen.

Er hatte keine andere Wahl, als seitlich oder von hinten einzudringen, vielleicht jemanden schnappen, ihm die Pistole an die Schläfe setzen und Catz im Austausch dafür verlangen. Aber so was funktionierte nur im Fernsehen.
Selbstmord. Trotzdem ging er weiter.
Als er noch etwa zehn Meter entfernt war, blieb er stehen, da er etwas Anomales in einer mit Glasscherben aller Farben übersäten Gasse zwischen zwei Fassaden sah. Er starrte hinein. Und betrachtete sich selbst: Cole starrte zurück.
Die Gestalt hatte zwar andere Kleider an, aber es war ohne Zweifel er selbst... bis auf den Gesichtsausdruck. Der Begriff *Doppelgänger* fiel ihm ein. Cole bedachte die Straße in beiden Richtungen mit einem Blick. Niemand sah her. Er ging in die schmale Gasse hinein. Seine Augen blieben auf das Bild gerichtet, als erwarte er, daß es bei seiner Annäherung wie eine Fata Morgana verschwände. Cole schritt vorsichtig weiter, er trat über Hundekot und nasse Kartons hinweg. Etwa eineinhalb Meter vor der Erscheinung blieb er stehen. Sie verschwand nicht. Offensichtlich amüsiert lächelte sie ihn an. Aber aus dieser großen Entfernung konnte er durch sie hindurchsehen. Sie war transparent wie ein schlechtes Hologramm.
»Ich dachte, ich hätte das hinter mir gelassen, als ich im Wagen das Fenster öffnete«, sagte Cole. Aber er fühlte sich nicht so, als hätte er Halluzinationen. Das Ding da vor ihm war tatsächlich da, vage, aber beständig, ebenso ein Teil der Szenerie wie der Rauch aus den Kaminen.
Der Geist (denn für einen solchen hielt er es) lachte. Cole hatte den Eindruck, als würde der Geist lauthals lachen, doch das Geräusch drang nur als sanftes Wispern zu ihm. Die Stimme war unzweifelhaft seine eigene.
»Cole, alter Junge, solltest mal dein Gesicht sehen. Aber das wirst du natürlich, wenn sich die Perspektiven umgekehrt haben.«
Das Ding lachte wie verrückt. Cole breitete die Arme aus und betastete die weißgekalkte Wand neben sich, um sich so an die Realität zu klammern. *Wenn es eine Halluzination ist,* dachte er, *dann muß sie überall erscheinen, egal, wo ich hinsehe.* Aus diesem Grund fuhr er herum, betrachtete die Wand und suchte nach seinem eigenen Abbild im gesprungenen, rissigen Verputz. Das Bild erschien dort nicht. Als er wieder in die Gasse blickte, war die Gestalt noch dort. Und nur dort. Dann erfuhr Cole eine eiskalte Erfahrung des *déjà vu,* die verblassend seinen Unglauben mit sich nahm. Plötzlich schien die Szene völlig in Ordnung. Unausweichlich.
»Seltsam«, sagte der durchscheinende Cole und stemmte eine Hand in die Hüfte. »Aber... ich erinnere mich ganz deutlich an alle deine augenblicklichen Gedanken – du siehst zur Wand, um festzustellen, ob du Halluzinationen hast, ich erinnere mich an das *déjà vu,* und in der Erinnerung ist

es noch mehr, als würde ich es selbst erleben, aber... aber irgendwie doch davon entfernt, wie in einem Traum. Verstehst du das?«
Cole nickte benommen. Er verstand.
»Tatsächlich«, fuhr sein Doppelgänger fort, »erinnere ich mich daran, was ich gerade zu dir sage – ich höre es als eine Art von Präecho kurz bevor ich es ausspreche. Was seltsam ist, da ich von dem Phänomen spreche... ich meine...« Er kicherte, und seine Augen waren weit aufgerissen und wenigstens teilweise irr. »Ich meine... ich wußte, ich würde genau das sagen, was ich jetzt sage, da ich es zuvor schon gehört habe, als ich *du* war... als ich *mich* hier betrachtete, aus deinen Augen, und ich wollte... nun, als ich hierher kam, um dich zu warnen, dich zu treffen, da plante ich, etwas ganz anderes zu sagen, als das, was ich nun tatsächlich sage, das ich eigentlich abändern wollte, da ich, weil ich *du* gewesen war, ja wußte, was ich sagen würde... ich meine, das ist ein seltsamer und irrsinniger Kreis, nicht wahr? Köstlich irrsinnig. Aber *du* bist nicht irrsinnig, Cole, *ich* bin real. Ich bin sogar recht... äh... solide, wenn auch nicht in deiner Welt. Ich existiere nur teilweise in deiner Welt. *Hier* bin ich physisch stabil, in der Dimension der absoluten Tatsache des urbanen Wesens, aber von deiner...«
»Du sagtest etwas von einer Warnung?«
»Oh, ich erinnere mich an diese Frage... ich meine, ich erinnere mich daran, daß du... daß wir... als ich du war und ungeduldig wurde und das fragte...«
»Vergiß es!« sagte Cole.
»Exakt das hast du gesagt!« Die Erscheinung kicherte. »›Vergiß es!‹ hast du gesagt. Ja, genau nachdem ich gesagt hatte ›und ungeduldig wurde und das fragte...‹«
»Komm schon«, sagte Cole verzweifelt, er erlebte nun Woge um Woge des *déjà vu*, »sag mir deine Warnung...«
Aber als der Geist nickte und seine Nachricht, derenthalben er gekommen war, aussprach, da war jedes seiner Worte erwartet und paßte genau.
»Cole – geh nicht in dieses Haus. Ich bin gekommen, um dir das zu sagen. Du befindest dich an einem Kreuzweg der Zeit, und ich bin gekommen, um dich in die richtige Richtung zu lenken. Was dumm erscheint, da ich es ja bereits *hinter mich* gebracht habe, als ich du war, und ich weiß, was für eine Route du wählen wirst... aber es stimmt auch, daß ich an der Gabelung auch nur deshalb diese bestimmte Richtung einschlug, weil ich gekommen war, um dich zu warnen. Ich. Du? *Köstlich* irrsinnig, dieses Paradox. Ich glaube, *Paradox* ist das richtige Wort...«
»Aber warum soll ich nicht in das Haus der Vigs gehen?« wollte Cole wissen und betrachtete mit wachsendem Entsetzen den verzerrten, kindlichen Ausdruck seines Gesichts. Seines toten Gesichts?

»Weil... äh... hmm. Nun, denk mal drüber nach (ich erinnere mich, das gesagt zu haben): Du warst heute morgen müde, ansonsten hättest du nämlich daran gezweifelt, daß die Vigilanten dir so mir nichts dir nichts den Aufenthaltsort von Catz verrieten. Er wollte offensichtlich, daß du hierher kommst. Diesem Ort hier wurde schon zuviel Aufmerksamkeit geschenkt – wenn auch nur von den Feuerwehrmännern. Sie gehen keine solchen Risiken ein, Dummkopf. Sie haben ihr Hauptquartier jetzt in drei Orte aufgeteilt. Dort drinnen sitzen drei Männer mit Gewehren und warten auf dich. Um dich zu töten.«
Cole war nicht überrascht. *Idiot,* dachte er. *Du hast mal wieder die Katze im Sack gekauft.* »Aber verdammt, wo *ist* Catz dann? Und was wird mit uns geschehen? Wieso wurde ich du? Und überhaupt...«
»Paß auf, ich werde dir sagen, wo Catz ist«, unterbrach ihn der Geist grinsend. »Aber den Rest kann ich dir nicht erzählen, weil ich das nicht *getan habe,* als du ich warst. Ich erinnere mich, ich tat es nicht, daher kann ich es nicht. Ist das nicht wirklich köstlich...«
»Wo, zum Teufel, ist sie?«
»In Berkeley, vierunddreißigzwoundzwanzig Vierte, direkt gegenüber der Universität. Da sind vier von ihnen und spielen Karten. Sie ist in einem Schrank eingeschlossen. Sie erwarten dich nicht, aber sie sind bewaffnet. Ich wollte dir sagen, du sollst Hilfe holen, aber soweit ich mich erinnere, wirst du das nicht tun, weil du wie von Sinnen bist, oh, aber das kann ich dir nicht sagen, weil...«
Cole kehrte sich selbst den Rücken zu und rannte weg, während der Geist ihm noch nachrief: »Ich *wußte,* wir würden auseinandergehen, nachdem ich sagte ›das kann ich dir nicht sagen, weil...‹ – Cole!«
Er rannte zurück zum Wagen.

Er fuhr so schnell er konnte und hart an der Grenze zur Lebensgefahr. Dadurch lenkte er die Aufmerksamkeit eines Polizeiwagens auf sich, den er aber an der Ausfahrt nach Berkeley abhängen konnte. Er fuhr wie irrsinnig und hupte andauernd, um irgendwelche Fußgänger von der Straße zu scheuchen. Schließlich raste er durch die grünumsäumten Alleen Berkeleys.
Er schoß einen Schotterweg entlang und verfehlte nur um Haaresbreite ein Kind auf einem Fahrrad, das hinter ihm wankte und gegen einen Zaun kippte. Cole riß den Wagen herum und donnerte zur Universität. Er überfuhr eine rote Ampel an der Dritten und bog ohne zu blinken in die Vierte ein. Dann raste er die verlassene Straße mit achtzig hinauf und versuchte die Hausnummern zu erkennen. Er bemühte sich, seiner Angst davonzufahren. Es war das Entsetzen über das Vorgefallene, das Entsetzen über seinen eigenen Wahnsinn.

Schnell.
Da war das Haus: rotbemalte Stukkaturen, pseudospanischer Stil mit einem absterbenden Rasen, der von Eukalyptusbäumen umrahmt wurde. Vor der Garage stand ein blauer Buick Sedan. Er steuerte nach rechts, machte sich aber nicht die Mühe des Einparkens, sondern ließ den Wagen einfach mitten auf der Straße stehen. Da er Angst vor dem Innehalten und Nachdenken hatte, sprang er einfach aus dem Wagen und rannte über die Straße auf das Haus zu. Die Sonne stand im Süden über der Bucht, die Wärme ihrer Strahlen berührte seine beginnende Glatze. Es roch nach Eukalyptusblättern und gebratenen Hamburgern.
Schnell.
Er rannte um das Haus herum nach hinten und hoffte, daß niemand aus dem Fenster sah. Der Hinterhof war leer, nur ein rostzerfressener Volkswagen stand in einer notdürftigen Holzgarage. *Kümmere dich nicht darum. Rasch.*
Er rannte die Stufen zum Hintereingang hoch. Seine Schritte waren nicht sehr laut, doch es klang wie ein Pistolenschuß, als er die Tür eintrat. Er riß die Waffe aus der Tasche *(solltest sie schon längst in der Hand halten, Dummkopf!)* und schaute sich um. Jemand sah gerade vom Ofen auf (und der Mann schien sich sehr langsam zu bewegen, so langsam wie die Zeitlupenwiederholung einer Fußballszene – es war fast, als hätte Cole sich durch seine Hast so sehr in einen Geschwindigkeitsrausch hineinmanövriert, daß er tatsächlich Sekundenbruchteile schneller dachte und handelte als andere), und Cole rannte auf ihn zu, richtete die Waffe auf ihn, auf sein Gesicht, und betätigte den Abzug. Kaum war die Pistole losgegangen – Cole nahm am Rande wahr, daß die Augen des Mannes zu schielen begannen, um das Loch zu betrachten, das genau zwischen ihnen klaffte – stürzte er auch schon ins nächste Zimmer und feuerte auf die drei Männer, die sich gerade verblüfft erhoben. Ihre Münder formten Worte, die ihre Kehlen nicht mehr aussprechen konnten, bevor Cole sie niederschoß. Er war so nahe, daß er sie kaum verfehlen konnte. Trotzdem traf er den entferntesten Mann nur in die Schulter. Dieser rollte sich im Fallen hinter einen hölzernen Bücherschrank und fummelte in seiner Jacke nach einer Waffe. Coles Geschwindigkeit ließ nach. Er schien zu verlangsamen, die Vigilanten dagegen zu beschleunigen, zwei von ihnen lagen sterbend am Boden, der dritte richtete außerhalb des normalen Zeitflusses gerade seine Waffe auf ihn. Cole warf sich nach links, er bewegte sich jetzt wie durch Sirup. Er landete auf dem Boden, als die Kugel des Vigs das Fenster hinter ihm zertrümmerte. Cole war mit seinem verletzten Arm aufgekommen, der Schmerz erschwerte das Handhaben der Waffe: das Glied war nutzlos. Jemand kam zur Vordertür herein. Sie schwang auf und gab den Blick auf zwei bullige Männer frei, einen Schwarzen und einen dun-

kelhaarigen Kaukasier mit Sonnenbrille, die beide bewaffnet waren. Die Schranktür flog auf, und Catz stürmte heraus. Sie blinzelte, dann schnappte sie sich sofort eine der Waffen, die auf dem Boden lagen. Sie gehörte einem der Toten neben dem umgestürzten Kartentisch. Grauer Pistolenqualm hing schwer im Zimmer. Der Mann hinter dem Bücherschrank feuerte nochmals und verfehlte Cole wieder – die Wunde des Mannes machte seine Bemühungen zunichte. Cole bemühte sich um Kontrolle über seinen geschundenen Arm, verlor aber seine Waffe vor Erschöpfung und Schmerz. Catz hatte sich niedergekniet und feuerte – auf ihn? Nein, sie schoß an seiner Schulter vorbei auf die beiden Männer, die sich ihnen näherten. Einer von ihnen konnte im letzten Augenblick auch noch schießen, doch er verfehlte sie, und seine Kugel durchschlug den Bücherschrank und traf versehentlich den dahinterliegenden Vigilanten. Pistolenschüsse zerrissen die Stille. Die beiden Vigs fielen. Der eine – am Bein verwundet – fluchte und versuchte, wieder auf sein unverletztes Bein zu kommen. Die Waffe war ihm entglitten. Er hinkte rasch zur Tür hinaus.

Cole starrte Catz an. Sie sah entsetzlich aus. Bleich, ihr Gesicht blutverschmiert, das linke Auge geschwollen und das Haar verklebt und schmutzig. Ihre zitternden Hände umklammerten immer noch die Waffe. Sie kniete nieder; ihr Gesicht drückte gleichermaßen Schock, Entsetzen und Triumph aus, drei Emotionen innerhalb von drei Sekunden. Dann ließ sie die Waffe fallen. Als die Spannung von ihm abfiel, kippte Cole kraftlos vornüber.

Sie half ihm wieder auf, danach taumelten sie gemeinsam zur Tür, die Stufen hinunter und an die frische Luft. Sie eilten zum Wagen. In der Ferne heulten Polizeisirenen. Leute aus der Nachbarschaft standen hinter Vorhängen und sahen ihnen verstohlen nach.

Cole setzte sich auf den Fahrersitz, ließ sich aber bereitwillig von Catz verdrängen. Sie nahm das Lenkrad, und er lehnte sich dösend gegen den Türrahmen, während sie anfuhr. *Hoffentlich schaffen wir es noch bis über die Brücke und können den Wagen verbergen, bevor die Nachbarn der Polente unsere Nummer sagen,* dachte er noch.

Aber offensichtlich entschieden sich alle dagegen, ihren Wagen bei der Polizei zu melden. Ohne Schwierigkeiten kamen sie nach San Francisco und ins Apartment von Catz' Bassisten, der für ein paar Tage die Stadt verlassen hatte.

Dort schliefen sie eng umschlungen ein.

»Ich arbeitete stundenlang, um mich zu befreien. Schließlich hatte ich die Seile gelöst. Aber ich konnte mich nicht entscheiden, wann ich die Tür auftreten sollte«, erklärte Catz. »Ich wollte warten, bis sie einschliefen.«

»Das dachte ich mir«, sagte Cole. Das Thema kam ihm nicht gelegen.
Sie saßen in einem Café an der Ecke. Die Sonne war von der höchsten Spitze eines Wolkenkratzers aufgespießt, die Stadt taumelte am Rande der Dämmerung. Den größten Teil des Tages hatten sie auf der lumpigen Matratze in dem Apartment in der Castro Street verschlafen, dann waren sie vor etwa zwei Stunden fast gleichzeitig aufgewacht, um festzustellen, daß sie einander immer noch in den Armen hielten. Sie waren sich noch nie physisch nahe gewesen. Und während Catz – zu seiner Überraschung – dort liegenblieb und sich eng an ihn schmiegte, wurde Cole verlegen. Sein Arm schlief ein. Aber wenn er jetzt zurückdachte, glomm eine seltsame Wärme in ihm.

Sie hatten sich gewaschen, so gut es ging ihre Verletzungen behandelt, in den Kissen gefrühstückt und waren dann hierher gekommen.

Catz' Gesicht, das sich in dem bläulichen Licht, das neben dem mit Tassen zugestellten Tisch durch die staubige Scheibe ins Zimmer drang, deutlich vom Hintergrund abhob, war zerschlagen, aber trotzdem eindrucksvoll. Sie hatte den Ellbogen auf dem Tisch aufgestützt und ihr Kinn in die Handfläche gelegt. Ihre leicht gekrümmte Nase bildete einen deutlichen Umriß vor dem Schatten zu ihrer Linken, ihre eingesunkenen Augen sahen mit den Blutergüssen irgendwie lieb aus, wie das theatralische Make-up eines *Angstrockers*. Sie trug ein weites, mattschwarzes, kurzes Jäckchen, das ihre kleinen, spitzen Brüste frei ließ.

Coles Augen glitten zu den Narben über ihren Brüsten.

Ihr Ausdruck spiegelte eine Art majestätischer Würde wider, ihre schwarzlackierten Fingernägel und der schwarze Lippenstift verliehen ihr ein autoritäres Aussehen.

Sie schwiegen schon lange. Cole wurde das wachsende Unbehagen zwischen ihnen bewußt. Er nippte an seinem Capuccino, um wenigstens etwas zu tun, und bemühte sich, einen sorglosen und zuversichtlichen Eindruck zu erwecken, wie Catz auch. Er wollte nicht über das sprechen, was an diesem Morgen vorgefallen war. Aber ihm fiel nichts anderes ein, und *etwas* mußte er ja sagen. Irgend etwas, um die wachsende Spannung zwischen ihnen abzubauen.

Es muß etwas geschehen, dachte Cole.

»Äh ... weißt du, ich kann nicht ...« begann er und suchte nach Worten, »mich nicht an ... an die Gesichter der Burschen von heute morgen erinnern ... Dabei ... ich meine, sie ... sie waren schließlich die ersten, die wir ohne diese albernen Masken gesehen haben. Aber – komisch, es war, als hätte ich den ganzen Morgen wachsende Schwungkraft aufgebaut, ich ging rascher und rascher, versuchte dich zu finden, und – es war alles wie in einem Rausch. Ich erinnere mich nicht an sie. Sie hätten ebensogut ihre

Masken aufhaben können, denn ihre Gesichter waren nur rosa Flecken für mich... was mir, ich weiß nicht, irgendwie *verwerflich* vorkommt. Denn wenn man...« Er senkte die Stimme, »... das Leben eines anderen zerstört, dann sollte man ihm wenigstens dabei ins Gesicht sehen. Moralisch bin ich...«

»Da bin ich anderer Ansicht«, widersprach sie und entwertete seinen Versuch durch ein Kopfschütteln. Sie sprach, ohne den Blick von der Straßenszene abzuwenden. »Sie trugen ihre Masken so lange, bis sie mich in einen Schrank eingesperrt hatten. Daher sah ich sie nie und betrachtete sie auch nicht genau, als wir... heute morgen. Aber ich will auch nicht wissen, wie sie ausgesehen haben. Ich will mich nicht daran erinnern.«

»Ich will nie wieder eine Waffe anrühren«, sagte Cole.

Catz zuckte die Achseln. »Erzähl mir, wie du mich gefunden hast.«

»Das habe ich dir schon beim Frühstück erzählt.«

»Da klang alles so seltsam. Ich glaube kaum, daß ich es richtig mitbekommen habe.«

»Okay...« Und so erzählte ihr Cole von den Männern, die in sein Apartment gekommen waren, und von der Warnung durch seinen Doppelgänger, wobei er unverwandt die Hauptstraße beobachtete, über die er seinen Blick stetig streifen ließ.

Als er geendet hatte, nickte sie feierlich.

Cole lachte. »Willst du jetzt nicht sagen: ›Du spinnst! Der Geist war eine Halluzination!‹?«

Sie sah ihn leicht überrascht an. »Nein. Warum sollte ich? Schließlich hast du mich gefunden, oder nicht? Wie hättest du das sonst bewerkstelligen sollen? Es muß stimmen. Außerdem bin ich an derartige Dinge gewöhnt. Für mich« – sie machte eine lässige Handbewegung in Richtung zum Fenster – »ist diese Welt transparent. Manchmal kann ich hinter sie sehen... aber heute morgen habe ich nicht viel mitbekommen. Doch gestern nacht fühlte ich dich zu mir kommen. Ich war nicht sicher *wann*, aber ich wußte, du warst unterwegs.«

Cole fragte sich, ob sie derzeit gerade seine wirren Gedanken empfangen konnte. Er errötete und versuchte, ihren Ausdruck zu deuten. Er hatte sich sie beide beim Liebesakt vorgestellt. Sie sah zum Fenster hinaus, eine Hand tippte sanft gegen den Rand ihrer Espressotasse. Nein, sie hatte selbst gesagt, daß sie heute nicht so viel empfing, erkannte Cole erleichtert. Ihre Gabe kam und ging...

Ein Klirren hinter der Theke links von ihm... Ein Kellner sagte: »Verdammt!« und beugte sich über zerbrochenes Glas. Es wurde hektisch in dem Lokal, wie durch Zauberei waren die abendlichen Massen erschienen. Die Dampfmilchpumpen – verschnörkelte, archaische Überbleibsel aus Chrom und poliertem Holz – stießen zischend weiße, cremige Milch in Kaffeetassen, eine Frau mit kurzem, orange und blau gestreiftem Haar akzeptierte BGE-Karten, die sie hastig in eine Einheit schob. »Danke«, sagte sie dann immer, während sie die Ergebnisse betrachtete und die Karten zurückgab. »Danke«, Karte einführen, Knöpfe drücken, Karte zurückgeben. »Danke... danke... danke...«

Die schmalen Tischchen quollen über von Angstrockern aus dem neuen Deaf Club, der auf derselben Straße aufgemacht hatte, und S&M-Schikkeria, die ihre zusammengekauerten Sklaven an Lederpeitschen mitführten und Lederkleidung trugen, die mit vergoldeten Kreditkartenimitationen verziert war.

Draußen herrschte ein buntes Treiben, in dem *Angstrocker*, Voguer, ein paar Chinesen und Touristen sich vermischten. Dealer mit Baretts, Litzen, ledergeflickten Jeans und Orden verkauften Dope oder Zurück-zur-Natur-Zeitungen. »Warum leben sie in der Stadt, wenn sie zurück zur Natur wollen?« murmelte Cole.

Eine Gruppe von *Angstrockern* in Gefängnisuniformen schritt lachend vorbei. Einer hinkte hinter den anderen her, da er von Miniaturketten und Eisenkugeln behindert wurde.

Cole sah Catz an. Wieder wuchs die Spannung zwischen ihnen. Sie setzte schließlich eine dunkle Brille auf und erhob sich abrupt, um sich zu strekken. Cole zog seine alte schwarze Motorradjacke an und verließ mit ihr das Lokal.

Der Himmel war purpurn, ein paar violette Wölkchen waren zu sehen. Der Coit Tower ragte phallisch vor dem Horizont empor. Eng aneinandergepreßt schlenderten sie durch die dichte Menge. Eine Gruppe japanischer Touristen fotografierte Catz, die für sie posierte, woraufhin sie in lautes Kichern ausbrachen. Die Kameras klickten. Neonlichter und blinkende Lampen erzeugten halluzinogene Spuren in Coles Augenwinkeln, die sich überlagernden Leuchtreklamen verschwammen zu einem Brillantenteppich. Cole begann sich zu entspannen, er fühlte sich *an Ort und Stelle*. Die grellen Lichter der unzähligen Nackt-Sex-Brutalität-Perversion-auf-der-Bühne-Nachtclubs flackerten im vertrauten Kode, die Reklamelichter fügten sich nahtlos in das glimmende Netzwerk der Oberleitungen ein, die über ihnen gespannt waren. Elektrobusse verursachten blaue Lichtblitze, wenn sie eine Kreuzung der Oberleitungen passierten. Schwärme von Möwen kreisten direkt über den Gebäuden und liebkosten die Brauen der Stadt mit ihrem Flügelschlag, kreisende, schwebende Elemente in einem mobilen Medium.

Die übliche Bevölkerung der Straßen – *Angstrocker*, Voguer, Alternative, Nutten – paradierten die überfüllten Gehwege auf und ab, in der Ferne verschmolzen ihre bunten Gestalten kaleidoskopartig – sie erinnerten Cole an japanische Dämonen.

Eine Plakatwand über ihnen verkündete mit leuchtenden, beweglichen Buchstaben: *Besuchen... Sie uns... im Jade Tower... elegantes Speiselokal... für den eleganten...*

Die Spannung zwischen ihnen war verschwunden. Cole fühlte sich fast ausgelassen (er verdrängte Bilder von vorübereilenden Gesichtern, die zu blutigen Massen explodierten, von Augen, die auf saubere, runde Löcher in ihrer Stirn schielten, aus seinen Gedanken).

Aber als Catz ihn bei der Hand nahm, erschauerte er. Und als er erkannte, daß sie ihn zu ihrem Apartment führte, begannen seine Hände zu schwitzen.

Als sie am Fuß des Hügels angekommen waren – sie hatten Chinatown mit der dort herrschenden Vielfalt an Gerüchen, den tausenden Fenstern, hinter denen Elfenbein und Jade schimmerte und den zehntausenden Schlitzaugen, hinter sich gelassen – da zog Catz ihn zu sich heran. Er sah sie fragend an und bemühte sich, seine Gefühle vor ihr zu verbergen. Schließlich fragte sie:

»Was ist los, Stu?«

»Nichts«, antwortete er düster. *O Gott*, dachte er, *sie fängt an, meine Gedanken zu lesen.*

»Nein, wirklich.«

Cole zuckte die Achseln. »Äh, keine Ahnung, Catz. Ich glaube, ich mache mir Sorgen wegen Stadt... er könnte uns rufen... es ist fast Nacht. Und du... schau, ich sagte dir, er wollte mir nicht helfen, dich von diesen Burschen zu befreien.«

»Das ist mir egal. Ich habe nichts anderes erwartet. Ich glaube sogar, er hat mir ein Bein gestellt, als ich dir aus dem brennenden Haus folgte, und hat alles so arrangiert, daß ich den Vigs in die Hände fallen mußte. Er hat recht: Ich vertraue ihm nicht. Er ist das Unterbewußtsein von Hunderttausenden von Leuten, Stu. Glaubst du, die Leute dieser Stadt sind alle geistig normal? Im Leben nicht! Unter jedem Schädel lauert ein Natternnest. Ich erinnere mich noch – als Teenager nahm ich mal eine Überdosis LSD. Es war großartig, bis ich plötzlich nicht mehr wußte, wo ich mich befand und mein Unterbewußtsein die Herrschaft über mich übernahm. Und da mein Unterbewußtsein voller Feindseligkeiten war, begann ich alles zusammenzuschlagen...«

Er starrte sie an. Er mußte schreien, um den Lärm der Wagen zu übertönen, die hügelaufwärts fuhren. »Aber warum hast du dich ihm dann unterworfen? Warum hast du mitgemacht?«

»Du weißt warum. Stadt hat es dir gesagt«, sagte sie ernst. »Auch wenn du diesen Teil vor mir verschwiegen hast.«

Cole war dankbar, daß sie im Halbdunkel nicht sehen konnte, wie sein Gesicht rot anlief.

»Scheiße, ich benehme mich wie ein verängstigter Teenager«, murmelte er.
Sie lachte. »Es ist so lieb, wenn du mit dir selbst sprichst.«
Ihre Stimme war frei von Spott, trotzdem war Cole getroffen. Er sah stirnrunzelnd weg.
»Ich glaube, du solltest die Stadt verlassen«, sagte er. »Er könnte dich töten.«
»Vielleicht gehe ich«, sagte sie. »Ich muß zugeben... ich habe Angst. Wenn ich auch das Gegenteil vorgebe.« Ihre Stimme klang ungewöhnlich gespannt. »Ich... verdammt, gestern nacht glaubte ich, ich müßte in diesem Schrank verrückt werden. Sie haben mich nicht vergewaltigt, aber ich hatte Angst, daß sie es tun könnten. Ich will so was nicht noch einmal mitmachen. Es ist dumm. Ich will mit der Band verschwinden. Aber du kannst auch nicht hierbleiben. *Er* hat dich zu sehr... in seiner Gewalt. Du wirst verdammt bald überhaupt keinen freien Willen mehr haben, Stu. Du mußt auch gehen.«
Cole zuckte hilflos die Achseln. »Ich glaube nicht, daß ich das kann. Nicht auf Dauer... ich weiß es nicht.«
Die Ampel sprang um. Die Leuchtschrift befahl GEHEN, also gingen sie. Sie überquerten die Straße und erreichten an der nächsten Ecke einen Kuriositätenladen, dessen staubiges Seitenfenster eine weissagende Holzzigeunerin enthielt, die schon seit mindestens zwanzig Jahren kaputt in diesem Schaufenster stand. Als sie an diesem Fenster vorbeigingen, versteifte sich Catz plötzlich und umklammerte erschrocken Coles Hand. Sie blieb stehen und sah die kleine Puppe durchdringend an, die mit dem runzligen Gesicht einer uralten Zigeunermatrone verschmitzt zurückstarrte. »Ihr Kopf«, sagte Catz. »Er hat vorher nicht in diese Richtung geblickt. Aber als ich vorbeiging, drehte er sich und sah mir nach. Ich habe es aus den Augenwinkeln gesehen...«
»Vielleicht... funktioniert der Mechanismus wieder. Vibrationen von den Autos oder sonst was«, schlug er ohne Überzeugung vor. Der winzige Kopf sah sie maliziös an, und Cole erinnerte sich, daß er zuvor tatsächlich in die andere Richtung geblickt hatte.
Sie eilte weiter und zog ihn in ihrer Hast fast mit sich. »Scheiße!« sagte sie über die Schulter. »Es ist Stadt. Ich fühle ihn. Er beobachtet mich. Er zeigte mir das als Warnung. Er erwacht zum Leben. Er folgt mir. *O verdammt!*«
Sie eilten weiter die dunkle Straße hinunter. Vor dem Eingang zu einer unterirdischen Schnellbahn blieb er stehen. Catz nahm die Brille ab und sah ihn fragend und ungeduldig an.
»Von Süden kommt eine Untergrundbahn herein«, sagte Cole blinzelnd und sah zu Boden.

Catz schien leicht amüsiert. »Woher weißt du das? Du hast den Fahrplan nicht gelesen.«
Cole erstarrte. *Woher* wußte er es? Er sah zur Straßenecke. »Ein Bus von der Mission Street kommt.«
Catz folgte seinem Blick. Zwei Sekunden später fuhr ein Elektrobus mit der Aufschrift MISSION um die Ecke.
Catz sah ihn an. Cole fühlte sich seltsam. Ihm war kalt. Er konnte seine Füße nicht mehr spüren. Es war eigentlich nicht kalt, die Nacht war warm, trotzdem waren seine Füße taub. Als würden sie in den Asphalt schmelzen. Cole stampfte mit ihnen auf, bis etwas Gefühl in sie zurückkehrte. Dann sah er auf. »Jetzt«, sagte er, »kommt ein Lastwagen um die Ecke. Und danach ein Schwarzer auf einer Harley.« Ein großer gelber Lieferwagen schwang langsam herum, dicht gefolgt von einem verchromten Motorrad.
Catz starrte ihn mit unverhohlenem Entsetzen an.
Da klingelte das Telefon in der Telefonzelle neben ihnen.
Die Tür der altmodischen Zelle ging automatisch auf. Der Hörer fiel von der Gabel und schwang fast auffordernd frei in der Luft. Cole begann mechanisch zu gehen und griff danach.
Catz trat rasch zwischen ihn und die Zelle. Sie preßte beide Arme gegen seine Brust. »Sprich nicht mit ihm. Du weißt, *er* wird dran sein. Nicht... nicht jetzt. Er ist es, er erwacht zum Leben... und er macht dich zu einem Teil von sich. Woher solltest du sonst wissen, was um die Ecke kommt? Und von den U-Bahnen...?«
Cole war benommen. Er sprach nachdenklich vor sich hin. »Alle Maschinen der Welt sind miteinander verbunden«, murmelte er und sah sich mit beginnendem Verständnis um. »In elektrischen Leitungen, Telefonverbindungen, wie ein gigantisches, elektrisches Netz. Die Röhren...« Er schloß die Augen. Und dort konnte er es sehen, in der Dunkelheit hinter seinen geschlossenen Lidern, eindrucksvoll, blau-weiß und leuchtend: der gewaltige, endlose Plan von Stadts elektrischen Nervenkanälen, die verknüpften Gebäude und Plätze, der Komplex des Kraftwerks, der...
Er riß verwirrt die Augen auf. Er verspürte ein seltsames Gefühl im Gesicht. Catz hatte ihn geschlagen. Er ließ sich von ihr zur Untergrundbahn führen. »Komm«, sagte sie. *»Komm schon.«* Sie zog ihn an der Hand, er folgte ihr passiv. Er fühlte sich entrückt und träumend. Sie stiegen hinab in einen Raum mit weißen Kacheln und grellen Lichtern. Catz kaufte ihnen mit einer BGE-Karte zwei Fahrkarten vom Wandcomputer, die sie dem elektronischen Auge an der Einlaßsperre vorzeigte. Sie wurden eingelassen.
Noch immer weit entfernt und verträumt ließ Cole sich in ein Abteil der Untergrundbahn führen. Die Türen schlossen sich automatisch hinter ih-

nen, und sie gingen zu einer Sitzbank neben einem breiten Fenster. Die anderen Passagiere unterhielten sich leise oder lasen Zeitung. Die Stoßzeit war längst vorüber, nur ein paar Dutzend Leute waren im Zug. Cole nahm all das sorgfältig, aber gleichgültig auf, als wäre alles um ihn herum, die Passagiere und der Zug selbst, nur winzige, aber funktionelle Teile der Maschinerie der Stadt.
Das urbane Kontinuum des Zugs begann zu funktionieren, die unterirdische Röhre glitt an ihnen vorbei, und Cole, der angesichts der Perfektion der ihn umgebenden Maschine von seltsamer Freude erfüllt wurde, sah hinaus und zählte die vorbeieilenden Lichter im Tunnel. Er lauschte dem rhythmischen Klicken der Räder, dem Seufzen der Druckluftbehälter...
Kurze Zeit später erwachte Cole aus den endlosen Träumereien von Konstruktions- und Straßenplänen und sah sich nervös um. Er fühlte sich verloren und alleine. Stadt hatte ihn verlassen.
Er war erleichtert, Catz neben sich zu sehen. Sie saß mit angezogenen Beinen da und rauchte eine selbstgedrehte Zigarette. Ihre Absätze ruhten auf dem Sitzpolster.
»Hier drinnen ist das Rauchen verboten«, sagte er grinsend.
Sie lächelte schwach. »Und was willst du daran ändern, Blödmann?«
Seine Hand strich über ihre. Ihre Haut war warm und feucht und schien an seiner kleben zu bleiben.
Er fühlte sich immer noch ein wenig benommen. »Wohin... äh... wohin fahren wir?«
»Das ist die südwärts fahrende Bahn, von der du gesprochen hast, Baby. Sie fährt durch diesen neuen Tunnel in den Hügeln von Berkeley, weißt du? Der erst seit einem Monat geöffnet ist. Fast bis nach San José. Eine lange Reise, aber... sie führt aus seiner Reichweite hinaus.«
Cole nickte. »Ich fühlte, wie wir getrennt wurden. Es überraschte mich, daß er den Zug nicht angehalten hat. Vielleicht wären wir dabei getötet worden. Vielleicht...«
Sie schüttelte den Kopf. »Nein, er hätte uns an den normalen Haltestellen aufhalten können, indem er einfach die Weiterfahrt verhinderte. Er hat einen anderen Grund. Vielleicht weiß er, daß du zurückkommst.« Sie betrachtete ihn aus den Augenwinkeln.
Cole atmete tief ein. »Ich fühle mich seltsam.«
»Entzugserscheinungen.«
»Was?«
»Nichts... He, als du die Fahrzeuge kommen sahst, den Verkehr vorausgesagt hast, war das dein Duplikat? Dein Bild, das du in Oakland gesehen hast? Hat er es dir gesagt?«
Cole schüttelte den Kopf und musterte die vorübereilenden Tunnellichter. Der Zug ratterte monoton weiter. »Nein... glaube ich nicht. Es war,

als würde ich durch die Augen eines anderen sehen. Oder mit einem Periskop um eine Ecke. Ein Überblick wie im Fernsehen. Ich habe nicht in die Zukunft gesehen... es war fast, als wären die Gebäude... transparent geworden.«
»Den Scheiß laß ich nicht gelten...«
»Ich reime es mir nicht zusammen...«
»Nein, ich weiß. Ich glaube dir. Ich meine... sieht schlecht aus. Er hat dich wirklich in den Krallen...«
Cole wechselte rasch das Thema. »Was meinst du, was dieses Ding war, das ich gesehen habe? Dieses... ›Duplikat‹?«
»*Ich* weiß es nicht«, sagte sie elend. Ihre Zigarette war ausgegangen. Sie zündete sie wieder an und betrachtete stirnrunzelnd die Spuren schwarzen Lippenstifts daran. »Vielleicht war es eine Projektion von dir... von deinen eigenen, latenten Fähigkeiten. Vielleicht haben deine Vorahnungen dir eine Vision gezeigt.«
Das klang wenig wahrscheinlich. »Äh... äh, dieses Ding... es war mehr wie ein Geist.«
Sie lachte nervös. »Das kann nicht sein. Du bist nicht tot, Kumpel.«
»Nein«, sagte er. Aber er dachte: *Ich bin noch nicht tot. Aber vielleicht bin ich es bald. Sehr bald.*
Das klang wahrscheinlich.

»Weiß ich nicht«, sagte Cole, der steif auf der Kante des quietschenden Bettes saß. »Vielleicht sollte ich zurückgehen. Ich muß es durchstehen. Ich habe es angefangen, und dann bin ich... weggelaufen. Ich fühle mich einsam, so weit von der Stadt entfernt. Jesus, ich hab' sie seit Jahren nicht mehr verlassen gehabt. Ich...«
»Ja, du hast Angst, weil du von Däh-die weg bist«, sagte Catz. »Aber es ist auch noch etwas anderes.«
Sie lehnte sich zu ihm herüber und strich mit den Fingern durch sein Haar. »Kumpel, du bist noch wegen etwas anderem *nervös*«, sagte sie sanft.
Cole wich unwillkürlich vor ihr zurück. Er konnte ihren Schweiß riechen, ihren natürlichen Geruch. Er war sehr davon angetan. Doch sein Rücken war kalt und starr. »Weswegen sind wir eigentlich hergekommen?« Seine Geste wies auf das alte Hotelzimmer in Santa Cruz hin. Die Luft roch schwach nach Verfaultem und nach dem Meer. Die Tapete war vergilbt und an den Ecken lose. Das antike Messingbett quietschte bei jeder ihrer Bewegungen. »Vielleicht ist es für dich das beste, von San Francisco entfernt zu sein, aber nicht für mich. Ich sollte nicht hier sein. Ich muß mich um den Club kümmern, Catz.«
»Ausflüchte, Ausflüchte...« schnurrte sie.

»Sieh mal, ich...«
»Wie lange ist es her?« unterbrach sie ihn im beiläufigen Plauderton.
»Wie bitte?«
»Spiel nicht das Unschuldslamm«, entgegnete sie ausdruckslos.
Er zögerte. »Mehrere Jahre.«
Sie schloß die Augen. Sie lächelte. »Daaaaaah haben wir's. Langsam sehe ich klar.«
Cole schluckte, um einen erschrockenen Ausruf zu unterdrücken. Ihre Gabe...
»Ah...« sagte sie und entblößte lächelnd scharfe Zähne. »Ah. Beim letzten Mal warst du impotent.« Cole zuckte bei diesem Wort zusammen. »Es war mit 'ner schwarzen Nutte. Und jetzt hast du Angst, immer noch impotent zu sein. Du hast Angst, du könntest zu alt für mich sein. Du hast Angst, ich könnte dich für etwas benützen, weil du dir nicht vorstellen kannst, aus welchen Gründen ich dich wirklich mögen sollte.« Sie öffnete die Augen. »Ich will dir sagen, warum ich dich mag, Stu. Du hast mir die erste Vorstellung in deinem Club ermöglicht, damals, vor Jahren, und du wußtest genau, es würde lange Zeit dauern, bis sich ein Publikum für meine Kunst gebildet haben würde, und du hast eine Zeitlang draufgezahlt. Aber du hast weitergemacht, weil du dich um mich gekümmert hast – und du hast meine Musik und meine Texte verstanden. Du bist der einzige Mann, den ich kenne, der sie wirklich versteht. Aber es ist nicht nur Dankbarkeit. Ich steh' schon jahrelang auf dich.« Sie lachte angesichts seiner Miene. »Es stimmt, Stu, ich liebe dich. Stadt hatte recht. Ich habe nur aus einem einzigen Grund mitgemacht: Ich wollte dich beschützen.«
»Sieh mal, es ist nicht... ich meine, äh, ich, äh...«
»Scheiß auf die Stadt. Du bist schließlich normal gebaut, hast sogar einen hübschen Wanst. Großartig. Ich mag meine Männer sanft. Die sind zärtlicher. Ich sehe deine Angst, Stu, also hör auf, sie vor mir zu verbergen.«
Coles Wangen schienen zu brennen. »Nicht... he...«
»Aber *jetzt* wirst du zornig, weil ich deine Gedanken lese. Ich kann nichts dafür. Wenn ich dir so nahe bin, passiert es eben. Ich sag' dir was: Wenn du es als Einbruch in deine Privatsphäre siehst, dann werde ich deine, hm, geistigen Vorstellungen, Ängste und so weiter, wegblasen. Die kannst du für dich behalten. Ich kann mich statt dessen auf... deine Gefühle konzentrieren. Intern und extern. Wie bei einer Rückkopplung. Dann können wir uns *wirklich* nahe sein, Stu.«
Er blies die Wangen auf. »Ich werde das Gefühl nicht los, daß du versuchst, mir irgend etwas zu sagen.« Durch seine Beine betrachtete er den abgelaufenen Teppich.
»Vielleicht. Es ist die einzige Möglichkeit, zu dir durchzukommen.« Sie

beugte sich zu ihm herüber. Ihre Lippen brannten an seinem Hals. Cole sprang fast aus dem Bett.
Sie zog ihn sanft zurück und schüttelte traurig den Kopf. »He, *entspannen*, Stu.«
»*Ich kann nicht.*« Er zitterte. Die Spannung zwischen ihnen hatte einen Höhepunkt erreicht. Er fühlte, daß er sich in sich selbst zurückgezogen hatte und die Szene aus einer höheren Warte betrachtete. »Ich sehe langsam klar, Catz. Äh... ich will dich nicht enttäuschen, weißt du?«
Sie verdrehte die Augen. »Du verstehst immer noch nicht.« Ein verständnisvoller, freundlicher Ton in ihrer Stimme ließ ihn dankbar aufblicken. »Du kannst dich entspannen, Stu, weil ich überhaupt nichts von dir erwarte. Wir müssen uns nicht unbedingt lieben. Ich will dich einfach nur halten und dich berühren. Wir müssen nichts... nichts... nichts *tun*. Ich wollte nur...« sie machte eine ungeduldige Geste. »Sieh mal, wir hätten zwar nichts an, aber deshalb müßte es noch lange nicht mit allzu großer... äh... Hast geschehen. Ich *brauche* dich nicht unbedingt in mir. Und wenn dir unbedingt danach ist, mir einen Orgasmus zu verschaffen – na gut, dafür hat Gott dir Finger und eine Zunge und mir eine Klitoris gegeben. Aber das spielt keine Rolle. Versteh doch, Truthahn, ich liebe dich. Daher spielt es keine Rolle.«
Cole atmete tief aus, etwas in ihm entspannte sich. Er fühlte sich lebhaft angeregt durch ihre Worte. Ohne länger nachzudenken, löschte er das Licht. Es wurde dunkel im Zimmer, aber durch das hellumrahmte Fenster drang spärliches Licht von draußen herein. Genug, um sie erkennen zu können, aber wiederum nicht soviel, daß er sich seines Körpers hätte schämen müssen.
Sie zog Jacke und Schuhe aus und schlüpfte aus ihrer Hose. Während er mit schweißfeuchten Händen seine Hose aufknöpfte und seine Kleider sorgfältiger als nötig über den Bettpfosten hängte, kehrte etwas von der Spannung zurück.
Er wandte sich um und glitt in ihre Arme. Es war ganz einfach. Sie war bestimmt, aber nicht fordernd, ihre sanfte Hand rieb sich an seiner. Er entspannte sich noch mehr, ein weiterer Schwall freudiger Elektrizität durchpulste ihn. Er hatte ein seltsames Gefühl in der Leistengegend. Er sah überrascht nach unten. Seine Erektion preßte sich fest gegen die warme Feuchtigkeit ihrer Schamlippen. Ihre Beine umschlangen seinen Hintern, und als ihre Lippen sich berührten, begann sie mit langsamen, rhythmischen Bewegungen ihren Venusberg gegen seinen Penis zu drükken. Ihre Lippen übertrugen ihre gegenseitige Spannung – und dann erkundete er ihren Körper mit seinen Händen, ohne Gedanken an später, ohne Angst vor sich selbst.
»Siehst du?« fragte sie zärtlich und knabberte an seinem Ohr, während sie

mit ihren Fingern seinen Rücken liebkoste. »Du mußt nur entspannen. Entspannen, und du kannst völlig neue Regionen erkunden, Mann... Entspanne dich, und es werden eine ganze Menge angenehmer Dinge passieren... Stu...«
Wie sich herausstellte, hatte sie recht.

SEEEEHX!

Am Morgen, als Catz noch schlief, betrachtete Cole sich im großen Spiegel des Badezimmers. »Nicht übel«, sagte er sich. »Ich seh' gar nicht so übel aus.« Dann ging er summend unter die Dusche.
Ins Schlafzimmer zurückgekehrt, genoß er nostalgisch den Duft, der von ihrem langen Liebesspiel in der vergangenen Nacht herrührte. Catz war bereits angezogen und saß auf der Bettkante. »Komm schon«, sagte sie und tippte ungeduldig mit einem Fuß auf den Boden. »Zieh dich an, Stu. Gehen wir.«
»Warum bist du denn so hektisch?« fragte Cole und warf ein Kissen nach ihr.
Sie knüllte das Kissen nachdenklich zusammen und wand es in den Händen, während sie sprach. »Ich hatte einen merkwürdigen Traum gestern nacht. Ich habe einige Dinge gesehen. In Verbindung mit dem, was ich sah, als Stadt zum ersten Mal im Club war. Wir müssen die Bay Area verlassen. Gehen wir nach New York oder sonstwohin...«
»Bist du verrückt?«
»Es ist mein Ernst.«
»Alles stehen und liegen lassen und gehen?«
»Richtig. Das Schiff sinkt, alter Junge. Du bist gestern fast nicht aus der Stadt herausgekommen. Er wollte dich nicht gehen lassen.«
»Er hätte mich aufhalten können.«
»Er wollte dich entmutigen – aber er wußte, du würdest zurückkommen. Gehen wir.«
»Nach allem, was wir getan haben? Den Kämpfen? Ich kann das jetzt nicht so einfach aufgeben, Catz.«
Sie drehte sich auf dem Bett um und sah ihn an. Da ihm ihr Blick unbehaglich war, zog er sich rasch an, ohne weiter darüber nachzudenken. Nachdem er sein Hemd zugeknöpft hatte, fragte sie:
»Hast du dich entschieden?«
»Ich kann nicht gehen. Tut mir leid.« Es kam ihm nicht in den Sinn zu fragen, *warum* er nicht gehen konnte. Ein Fisch kann außerhalb des Wassers

nur ein oder zwei Minuten überleben – und er stellt die Notwendigkeit seines Elements auch nie in Frage.
»Was ist eigentlich mit dir los?« fragte sie. »Bist du so fest an einen Ort gebunden?« Ihr Ausbruch war nicht zornig, er war verzweifelt. Sie seufzte. »Stu – Baby – glaubst du wirklich, die Vigilanten würden dich nach dem gestrigen Tag noch am Leben lassen? Einer konnte entkommen. Du hast eine Handvoll von diesen Bastarden getötet, erinnerst du dich? Sie sind tot. Und *du* hast sie...«
»*Okay*«, sagte Cole zusammenzuckend.
»Sie werden dich umbringen. So einfach ist das.«
»Sie werden mich nicht finden. Stadt wird mich beschützen.«
»Vielleicht. Solange du ihm nützlich bist. Aber hör zu, du weißt, er kann BZV nicht kontrollieren, aber BZV wird von seinen Feinden kontrolliert – jetzt auch deine Feinde –, und sie werden dir dein letztes bißchen Geld auch noch wegnehmen. Sie werden deinen Club schließen. Und du kannst auch nicht in dein Apartment zurück. Sie erwarten dich dort.«
Cole starrte sie an, Furcht und Hoffnungslosigkeit überkamen ihn wie einen Mann, der soeben erkannt hat, daß man ihm unwiederbringlich eine Hand abgeschossen hat...
»Großer Gott«, sagte er leise. Ein Mann ohne Kreditspeicher war eine Unperson. Ohne Karte, ohne Konto, drohte die soziale Kastration.
»Aber...« begann er plötzlich mit zugeschnürter Kehle. »In einer anderen Stadt wäre es auch nicht besser. Ich habe in keiner ein verdammtes Konto.«
»Zunächst nicht. Aber du könntest dir eine neue Existenz aufbauen. Du könntest mit mir zusammen in... äh, ich habe ein Konto in Chicago. Darauf spare ich schon seit Jahren. Wir könnten dort ein neues Konto für dich eröffnen. Ich weiß ganz sicher, daß die Bande BZV in Chicago nicht kontrolliert. Diese Stadt ist mit dem organisierten Verbrechen zu sehr vertraut, sie haben von Anfang an Vorkehrungen getroffen.«
Cole schritt im Raum auf und ab, seine Hände fuchtelten vor seinen Lippen herum, als wolle er ihr mit Gesten begreiflich machen, was sein Mund nicht sagen konnte. »Er... ist nicht... Scheiße, ich glaube, ich...« Er kämmte mit seinen Fingern durchs Haar und versuchte, einen vernünftigen Grund zum Bleiben zu finden, etwas, das sie nicht anfechten konnte. Warum war es nur so schwer, ihr das begreiflich zu machen? Er konnte die Stadt nicht verlassen. Jetzt nicht. Vielleicht war er tatsächlich mit ihr verwurzelt. Wie eine Pflanze, die zum Sterben verurteilt war, wenn sie ihrer Heimaterde entrissen wurde. Sein Nährboden war der Beton San Franciscos, der Asphalt mit dem Blut, dem Schweiß, dem Erbrochenen, den Tränen und dem Samen der Bewohner, die ihn als ein mystisches Fundament ansahen, die Kupferdrähte, der Asphalt, die Aluminiumfeu-

erleitern, die spezielle Konfiguration der Hochhäuser aus Glas und Stahlbeton, die großen, hölzernen Ladies, die die Touristen nur als viktorianische Häuser sahen, die Krume San Franciscos. »Du verlangst von mir, meine Identität aufzugeben und anderswohin zu transplantieren. Das würde mich umbringen.«
Catz spielte ihren letzten Trumpf aus: »Willst du lieber mich oder die Stadt verlieren?«
Cole wand sich. »Das ist nicht fair...«
»Verdammt, nein! Es ist nicht fair! Ach Scheiße. Ich liebe dich, und sie wollen dich umbringen. Sie *werden* dich umbringen. Und *er* wird dich benützen und dann fallenlassen.«
»Stadt wird nicht...«
»Stadt benützt dich nur!«
»Woher willst du das wissen?« brüllte er unbeherrscht zurück. Er sah sie an. »Was macht dich dessen so sicher?«
Sie schüttelte den Kopf. »Warum hat er dich im Stich gelassen, als du um Hilfe bei meiner Befreiung batest? Und warum hat er dich angelogen, als es um die Morde ging?«
Kalte Furcht griff nach Cole. Er hob eine Hand und kehrte ihr die Handfläche zu, eine beruhigende Geste. Sie wartete und schwieg. Er sagte: »Ich weiß. Ich *weiß*. Es ist einfach zu schlimm. Viel zu schlimm. Ich liebe dich. Ich liebe dich, Catz. Ich vermute... ich weiß, er benützt mich. Und ich weiß, ich liebe dich. Aber ich habe keine Wahl. Ich habe meine Entscheidung schon vor langer Zeit gefällt. Ich muß alles durchmachen. Ich wurde berufen.«
»Du machst mich krank. ›Berufen.‹ Das war schon immer die Ausrede von Terroristen, Diktatoren und religiösen Fanatikern, schon immer eine Entschuldigung, einen verborgenen Haß auszuleben. Es ist immer eine gehörige Portion Selbstsucht dabei im Spiel. Ich weiß, jetzt wirst du gleich sagen ›Catz, du verstehst einfach nichts!‹ Aber ich verstehe – und ich will es nicht. Ich will nicht von ihm benützt werden. Ich bin durchaus bereit, mit den Stadtseelen zu kooperieren, wenn ich es für richtig halte. Ich habe noch zu anderen Kontakt. New York und Chi. Ich kommuniziere mit ihnen. Sie sind ebenso am Leben wie Stadt... wie unsere Stadt. Sie sind nicht ganz so aktiv, aber sie haben Pläne. Ich glaube, sie planen etwas... gemeinsam. Da ist eine Ebene, wo sie kommu... egal, wenn du...«
»Catz...«
»Wenn du meinst, daß er nicht...«
»*Catz!*«
»Was?«
»Ich sagte, ich weiß, daß er mich benützt. Eine interne Angelegenheit. In mich eingebaut. Ich *muß*. Okay?«

Sie starrte ihn benommen an. »Nein. Es ist nicht okay. Es ist verdammt nicht okay. Du wirst zum Teil der Muzak werden.«
»Der was? Was willst du damit sagen?«
»Das ist der grundlegende Unterschied zwischen uns, Mann. In gewisser Hinsicht bist du ein Nonkonformist, ein Außenseiter. Aber das *willst* du nicht sein. Du willst in einer Gemeinschaft aufgehen und zu einer guten Drohne im Stock werden...«
»Dummes Zeug!«
»Maul halten, Mann. Genau das willst du! Schluck das. Daher kannst du so leicht in der Stadt aufgehen. Aber ich identifiziere mich nicht mit ihm... ich bin kein Massenmensch. Ich habe Angst, ich könnte meine Persönlichkeit verlieren. Ich bin fast nichts – jeder ist *fast* nichts, aber das bißchen Selbst, das ich habe, das schätze ich sehr hoch. Ich werde nicht zulassen, daß ich es an die Stadt verliere. Und ich ertrage es nicht, wenn das mit dir passiert. Vielleicht bin ich eifersüchtig. Aber ich kann nicht bleiben und zusehen. Wahrscheinlich würde er mich ohnehin töten. Weil ich immer versuchen würde, dich ihm zu entreißen... Schau, so sehr die Dinge auch verschieden sind und so unterschiedlich die Szene auch ist, der ganze Klüngel – Neopuritaner, Neopunks – das ist nur Mitläuferei, Trends, Modeerscheinungen. Sogar *Angstrock*. Ich bin kein *Angstrocker*, das ist nur das Etikett, mit dem sie mich versehen. Ich identifiziere mich mit nichts davon. Das ist alles nur Teil ihrer Kampagne. Die Regierung erlaubt es als eine Art Überdruckventil. Es hilft ihnen, uns nur noch besser zu unterdrücken – wie durch Methadon und das von der Regierung auf den Schwarzmarkt gebrachte Eitsch. Das ganze Land ist so uniform, daß ich kotzen könnte. Nicht genug mit Compudisco und Muzak überall – Mittelmäßigkeit in Dosen, um die Massen zu besäuseln –, da sind noch die Häuserprojekte, die Eigentumswohnungen, die Wahlen. Und... Großer Gott, die *Supermärkte!* Überall Supermärkte! Und sie sind alle gleich, abgesehen von winzigen Unterschieden, wie verschiedene Muster auf Toilettenpapier. Man kann Indigo, Rosa oder Gold haben – verstehst du, was ich meine? Masseneinförmigkeit als Nebenprodukt von Konsumentenkonditionierung! Das ist die subtile Propaganda der Konzerne, der speziellen Interessenten, die alles mit ihrer typischen beruhigenden, ausgewogenen, sanften liberal-lächelnden Effizienz erledigen...«
»Aber Teil der Stadt zu sein ist nicht so. Sicher, es ist eine kulturelle Gesellschaft, aber es ist freiwillig und natürlich...«
»Nein. *Er* ist es, der dich so denken läßt.«
Stille senkte sich schwer und fast greifbar über sie. Sie beobachtete ihn.
»Du vergeudest deine Zeit«, sagte er.
»Ja, das sehe ich. Es ist schon zu spät für dich... ich gehe. Ich kenne einen Burschen in Chicago, der möchte eine Platte mit mir produzieren, wenn

ich ihm gute Demos bringe, mit denen er zu den Plattenfirmen gehen kann. Daher werden wir ins Studio gehen...«

»Du willst Platten machen? *Wer* wird denn nun Teil der Großen Einförmigkeit? Du wirst dich ausverkaufen müssen, um...«

»Nein. Ich werde in der Lage sein, mehr Leute zu erreichen. Ich predige Nonkonformismus...«

»Sie werden dein Image konservieren und tausende Poster von dir drukken lassen... Es wird den Catz-Wailen-Look geben. Wird bestimmt eine heiße Modeströmung.«

»Behalte deinen Sarkasmus für dich. Mich kümmert er nicht.« Sie zitterte. »Scheiße«, sagte sie leise.

Sie ging ins Badezimmer und ließ Wasser ins Becken laufen, damit er ihr Weinen nicht hören konnte.

Spätnachmittag. Fast Abend. Der Himmel dunkelte bereits vorsorglich die Unterseiten der schweren Wolken.

Cole stand allein auf dem Flughafen von San Jose und sah Catz' Flugzeug nach, das sie nach Chicago bringen würde. (Nein, Cole war nicht völlig alleine, aber die Menschen um ihn herum waren mehr als nur Fremde – sie waren nicht einmal aus San Francisco. Nicht aus Coles Stadt. Außerirdische.)

Tief in seiner Tasche betastete er den Zettel mit der Chicagoer Telefonnummer, den sie ihm gegeben hatte... Die ganze Band war mit ihr gegangen. Der rattengesichtige Bassist hatte protestiert, da er die Miete für die kommenden Monate zahlen sollte. Catz hatte ihn nur mit Mühe überreden können, Cole den Schlüssel zu geben.

Vielleicht hatte sie sich geirrt: Vielleicht hatten sie ihm sein Konto nicht genommen. Vielleicht hatte er auch noch seinen Club.

»Möglicherweise«, sagte er laut.

Das Flugzeug verschwand in einer Wolkenbank, die wie ein geheimnisvolles Untier über der Stadt und dem Flughafen lauerte. Catz war weg.

Sie war weit weg, und er war in San Jose. Weit von der Stadt entfernt. Er sah sich suchend um. Fremde. Scharen von Fremden. Er war vollkommen allein.

Er unterdrückte seine Panik und trottete zum Fahrstuhl mit der Aufschrift AUSGANG ZUR STRASSE UND ZUR UNTERGRUNDBAHN.

Cole betrachtete den BGE-Schirm in der öffentlichen Zelle mit grimmiger Befriedigung. KONTO GELÖSCHT stand dort. Nicht einfach nur KONTO VORLÄUFIG GESPERRT. Und auch nicht VORERST KÖNNEN MIT DIESEM KONTO KEINE

TRANSAKTIONEN VORGENOMMEN WERDEN. Nicht für ihn. Für Stuart Cole galt ein Ausdruck, der nur ganz selten Anwendung fand: KONTO GELÖSCHT. Das behielten sie sich normalerweise für überführte Schwerverbrecher vor.

»Sie hatte recht«, sagte er, als er die Tür der Zelle aufstieß und wieder ins Freie trat. Er befand sich an der Ecke Market und Sutter und stand im Schatten der Markise eines Gebäudes, an dem ein Schild verkündete »Therapeutisches Erotikatheater«: DISZIPLIN WÄHREND DER FILME ERBETEN/ALLE STÜHLE SIND ENTSPRECHEND AUSGERÜSTET/TRAINIERTE THERAPEUTEN. »Trainiert wie Ratten im Käfig«, murmelte Cole und wandte sich ab.

KONTO GELÖSCHT... Die volle Tragweite des Geschehenen kam ihm langsam zu Bewußtsein.

Er schritt langsam die Straße hinunter, mit jedem Schritt nahm der Schmerz in seiner Brust zu. Der Schmerz, der ihn peinigte, war die Ablehnung einer ganzen Gesellschaft.

»Warum infizieren sie einen nicht einfach mit Lepra und verbannen einen auf ein menschenleeres Atoll?« fragte er bitter.

Er ging an einem Alkoholiker vorbei, der schnarchend in einer Toreinfahrt lag. *Sogar die Trinker*, dachte Cole, *haben ein eigenes Konto. Oder zumindest Wohlfahrtsnummern für ihre Bettellizenzen oder Sozialhilfeschecks. Aber ich nicht. Ich stehe jetzt sogar noch unter ihnen.*

Er kam an einer Telefonzelle vorbei und wartete, wobei er den Hörer anstarrte. Er war nicht überrascht: Das Telefon begann zu klingeln. »Stadt?« fragte er und ein Teil des Schmerzes fiel von ihm ab.

»Benny?« fragte die Stimme eines Puertoricaners am anderen Ende. »Hast du den Stoff bekommen?«

Er fluchte so heftig, daß er gar nicht mehr wußte, was für Worte er benützte und knallte den Hörer auf die Gabel zurück. Er ging weiter. »Stadt...« sagte er. Es war fast ein Schluchzen. Er sah sich um. Zu dem Gefühl des Verlorenseins gesellte sich noch die Angst.

Stadt hatte sich von ihm zurückgezogen. Cole fühlte sich isoliert und von seinem üblichen Kontakt mit der Umwelt der Stadt abgeschnitten. Stadt strafte ihn.

Vielleicht tut er es auch für mich. Vielleicht hat er einen Geeigneteren für den Job gefunden. Vielleicht läßt er mich zu meinem Besten in Ruhe.

Eine Straßenbahn kam den Hügel heruntergerasselt, Funken stoben aus der Oberleitung. Sie verlangsamte, um Passagiere aussteigen zu lassen, dann beschleunigte sie wieder und näherte sich ihm bis auf eine Entfernung von zwanzig Metern. Bremsen war auf diese kurze Distanz fast unmöglich. Das war die einzige Methode, um Stadts Verhalten ihm gegenüber zu testen. Cole rannte auf die Straße, kalter Schweiß stand ihm auf der Stirn. Er hatte Angst. Ja, höllische Angst. Angst vor dem Sterben. Aber lieber tot als isoliert und gefangen wie ein Versuchskaninchen in einem Labor. Er warf sich vor der Straßenbahn flach auf den Asphalt und preßte die Hände auf die Ohren, um das Geräusch der kreischenden Räder nicht mehr hören zu müssen. Die Passagiere schrien. Er konnte das Ozon des elektrischen Antriebs riechen. Der Asphalt unter ihm erbebte unter den näherkommenden Rädern. Der Schatten des Fahrzeugs kam wie eine Vorahnung des Todes über ihn.

Und dann explodierte die Straße.

Cole wurde den Hügel hinuntergestoßen. Er rollte sich nach rechts ab und erhaschte einen Blick auf ein massives Abwasserrohr, das aus dem geborstenen Asphalt herausragte und sich zwischen ihn und die Straßenbahn schob. Das Fahrzeug fuhr knirschend gegen das Rohr, die Räder kreischten auf, dann wurde es aus den Schienen gehoben und schlitterte seitlich weg. Cole konnte seine Bewegung auffangen und blieb liegen.

Er grinste schmerzverzerrt, rieb seine aufgeschürften Knie und erhob sich. Das entgleiste Schienenfahrzeug stand quer auf der Straße, war aber noch aufrecht. Niemand war ernstlich verletzt worden. Menschen rannten auf ihn zu, ihre zornigen Gesichter schienen ihren Körpern vorauszueilen, andere standen daneben und betrachteten fassungslos das mannsdicke Rohr, das die Straßenbahn, zwei Sekunden bevor sie Cole hätte zerschmettern müssen, aufgehalten hatte.

»He... was, zum Teufel, ist denn...« schrie der Schaffner auf Cole herab.

Ein Taxi fuhr auf der gegenüberliegenden Straßenseite los, wendete und kam hinter Cole zum Stehen, die rechte Tür öffnete sich einladend. Cole warf sich hinein und das Taxi fuhr davon. Er saß keuchend auf dem Beifahrersitz.

Der Fahrersitz war leer.

»Stadt...« sagte Cole fast zärtlich und schmeckte das Salz seiner eigenen, absurden Tränen.

Das fahrerlose Taxi brachte ihn weg. *Wohin?* fragte sich Cole. Zwei Blocks weiter blieb das Auto stehen. Cole wandte sich um und überblickte den Tenderloin-Distrikt mit den Apartmentwohnhäusern vor ihm. Hoch, schmal, schmutzig, gelb. Ellis Street quoll über vor Fremden, aber Cole war nicht länger allein. Er schloß die Augen und konnte einen Helikopter fühlen, der sechs Blocks entfernt von einem Hochhausdach startete. In der Dunkelheit hinter seinen Lidern konnte er die Autos von Pendlern sehen, die auf den Freeways im Norden und Süden fuhren. Jedes Auto fuhr mit konstanter Geschwindigkeit und in konstantem Abstand zum Vordermann dahin, als würden sie von einem unsichtbaren Strom gelenkt, und nicht von Fahrern mit individuellem Willen. Wieder drängte sich das Bild der Autos als rote Blutkörperchen auf, die vom Kreislauf durch die Adern transportiert wurden. Und er konnte die U-Bahnen unter seinen Füßen fühlen, die Röhren und Leitungen, die neben den Bahnschächten blubberten und gurgelten, die knisternde elektrische Kraft in den Tausenden von Kilometern langen Leitungen. Er konnte Tausende von Abwasserpumpen spüren und roch die Abgase ungezählter Wagen, die sich mit dem allgegenwärtigen Geruch nach gebratenem und gebackenem Essen vermengten. Für Cole waren das alles Wohlgerüche.

Er öffnete die Augen und ging die Treppe hoch.

Er fand das Apartment, indem er die Briefkästen absuchte. Catz' Bassist hatte für die Post seinen Künstlernamen verwendet: I. M. Dedd. Apartment vierzehn. Cole bahnte sich einen Weg durch die Weinflaschen, das feuchte Klopapier, und was sonst noch im Hausflur verstreut war. Er ging zu dem wenigstens fünfzig Jahre alten Eisenfahrstuhl, trat ein und schloß die Tür hinter sich. Das Schild mit dem Aufdruck AUSSER BETRIEB ignorierte er. Der lange unbenutzt gebliebene Fahrstuhl begann sich langsam zu heben, seine Zahnräder und Seilwinden ächzten vor Rost. Im zweiten Stock stieg er aus und lächelte angesichts der Frau mit der Einkaufstüte, aus der verschiedenes herausrollte, und die ihn mit offenem Mund anstarrte. »Das gottverdammte Ding funktioniert schon fünf Jahre nicht mehr«, sagte sie und betrachtete ihn mit Stielaugen, als wäre er eine mannsgroße Küchenschabe.

»Funktioniert immer noch nicht«, sagte Cole und ging an ihr vorbei. »Versuchen Sie nicht, ihn zu benützen.« Und er dachte: *Verdammt! Ich habe die Aufmerksamkeit auf mich gelenkt.*

Im Korridor roch es nach Urin, Schimmel und Mäusen. Der Teppich mochte einst bernsteinfarben gewesen sein, aber jetzt hatte er die Farbe eines Trampelpfades, den die Jahre in einen schmutzigen Lehmboden eingegraben haben.

Er fand Nummer vierzehn. Die Tür war verschlossen, er nahm den Schlüssel, schloß auf und trat ein.

Es war ein Apartment wie jedes andere auch: Schlafzimmer, Badezimmer, Kochnische. An einer Wand hing ein Poster von First Tongue, dessen untere Ecken sich gelöst hatten. Ansonsten nicht viel mehr. Eine Truhe voll zerknautschter schmutziger Kleider, ein breiter Gitarrengurt, leere Bierdosen, eine blaue Couch mit Backsteinen anstelle von Beinen. Im Schlafzimmer, wo der Boden erschreckend durchhing, befand sich eine kahle, von Zigarettenlöchern übersäte Matratze, eine Heizung und ein Fernsehgerät... ein alter Fernseher aus der Zeit vor den Nachrichtenboxen und Kyberlinks. Kein Kartenschlitz an der Seite. Jemand (Catz?) hatte ihn angelassen.

Aber der Ton war abgeschaltet. Der Gouverneur verausgabte sich tonlos vor einer versammelten Reporterschar. Er zappelte aufgeregt hinter den vielen Mikrofonen des Podiums herum. Cole schaltete den Ton ein und setzte sich auf die Matratze, die Ellbogen auf die Knie aufgestützt, das Kinn in den Händen. Er wartete ungeduldig darauf, daß Stadt mit ihm Kontakt aufnahm. Der Gouverneur sagte:
»... im Augenblick die Behauptung, die Städte würden sterben, noch für sehr verfrüht... obwohl es sicher zutreffend ist, daß die Städte sich verändern, und zwar auf eine sehr drastische Weise.« Der Gouverneur war ein junger Politiker, dessen kurzes Haar im Neogreasestil geschnitten war. Seine dreifach gestreifte goldene Krawatte hob sich kaum von seinem braunen Hemd ab. »Wir können eine Aufwärtsbewegung im gegenwärtigen Trend erwarten, äh, und wie Sie sicher bemerkt haben« – an dieser Stelle lächelte er dem Reporter zu, der ihm die Frage gestellt hatte, die er gerade beantwortete – »geht der gegenwärtige Trend dahin, die Bevölkerung von den äh... ›Ballungszentren‹ fernzuhalten. Die Menschen breiten sich aus. Bell Telephone, eine Gesellschaft, die üblicherweise immer als, äh« – an dieser Stelle warf er einen kurzen Blick in seine Aufzeichnung – »Vorreiter der durch den Fortschritt bedingten Veränderungen gilt, eröffnet ein Büro, das aus neunzig separaten Untereinheiten in der ganzen Bay Area besteht. Jede Einheit befindet sich in der Wohnung eines der fünfundvierzig Verantwortlichen oder deren fünfundvierzig Assistenten, und jede ist mit einem Technerlinkterminal ausgestattet. Jedes Terminal besteht aus einem Vidschirm, einem Mikrofilmrezeptor, einem Datenspeicher und einem Segmenter für multiple Konferenzen, äh, neben zahlreichen anderen Einrichtungen. Es gibt einfach keine Büroarbeit, die nicht mit einem Technerlinkterminal erledigt werden könnte. Und – es kann alles wesentlich rascher erledigt werden, da das übliche Herumsuchen in einem Bürogebäude entfällt und der bekannte Papierkram drastisch eingeschränkt wird. Auf lange Sicht wird dadurch immense Energie eingespart, da das Pendeln vom und zum Arbeitsplatz entfällt. Die Vorzüge sind zu zahlreich, um sie alle einzeln aufzuzählen.« Er sah in seine Notizen. »Aber was ergibt sich daraus? Da die ganze Büroarbeit, die finanziellen Transaktionen und die Speicherung von Daten mittels Technerlinkterminals in Koordination mit BZV getätigt werden können, und da – um ein extremes Beispiel zu wählen – die betreffenden Terminals auf der anderen Erdhalbkugel stehen könnten und trotzdem noch ausgezeichnet mit den lokalen Einheiten hier funktionieren würden, besteht keine Veranlassung für einen Geschäftsbetrieb, äh, der sich diese *Technik* zunutze macht, äh, seine Angestellten in der Stadt zu konzentrieren... Warenhäuser, Nahrungsmittelverteilung, Frachtverladung – alles würde in zunehmendem Maße automatisiert werden... Zukunftsfor-

scher sehen schon in naher Zukunft, äh, schon im Verlauf des nächsten Jahrhunderts, eine Nation elektronisch gekoppelter Orte, sauber und nicht übervölkert, lebensfreundlicher und ohne die äußeren Gegebenheiten, die zu unseren modernen Zivilisationsschäden führen ... Diejenigen, die augenblicklich ihren Lebensunterhalt durch Verrichtung einfacher, physischer Arbeit verdienen, könnten eine entsprechende Arbeit in den Solarzellenkraftwerken und auf Hydroponikfarmen finden. Das System, das Menschen in gewaltigen Städten zusammenpfercht, läßt leicht den Eindruck entstehen, wir wären *über*völkert. Tatsächlich wird aber der Großteil des in den USA zur Verfügung stehenden Lebensraumes nicht genutzt. Wären die Menschen gleichmäßiger über das Land verteilt ...«

»Stadt«, sagte Cole schluckend. Es war so plötzlich gekommen.

Stadt war da und der Gouverneur verschwunden. Stadt war größer, als Cole ihn jemals zuvor auf einem Bildschirm gesehen hatte. Er füllte ihn ganz mit seinen bewegungslosen Zügen aus. Seine Opalaugen blickten starr und ohne zu blinzeln geradeaus.

»Verstehst du?« fragte Stadt. »Verstehst du jetzt?«

Cole schüttelte den Kopf.

»Du hast gehört, was er gesagt hat«, bohrte Stadt weiter. Seine Stimme klang ölig und aalglatt. »Die Leute von Technerlink stecken mit BZV unter einer Decke; er steht in ihrem Sold. Der Gouverneur, der verdammte Hurensohn, ist von ihnen gekauft.« Stadts Stimme bebte nun vor unterdrücktem Zorn. »War das nicht offensichtlich?«

»Ja!« sagte Cole nachdenklich. »Jetzt, wo du es erwähnst. Es sah tatsächlich so aus, als bemühte er sich nach Kräften, der Dezentralisierung Tür und Tor zu öffnen. Und natürlich würden Technerlink und BZV das Monopol bekommen, und jeder wäre von ihnen abhängig.« Cole sprach geradeaus und monoton und dachte: *Er ist vollkommen und unfehlbar und übermenschlich und doch menschlich und perfekt wie ein Filmheld.* Cole betrachtete Stadts Gesicht auf dem Schirm mit Ehrfurcht. *Wie kann Catz nur an ihm zweifeln? Wie kann jemand an einem solchen Gesicht zweifeln? An einer solchen Erscheinung?*

Coles Aufmerksamkeit wandte sich wieder erschrocken Stadt zu, als dieser sagte: »Man will uns umbringen.«

Cole wich etwas zurück. »Äh ... Wer? Wer will wen umbringen?«

Stadt nickte geduldig. »Die Computer. Technerlink. Der Krebs in meiner Brust – es muß zerstört werden: BZV und Technerlink. Sie wollen alle Menschen aufs Land verfrachten. In regelmäßiger Anordnung, wie Bienen in einem Bienenstock.«

»Auch die Stadt hat ihre Regelmäßigkeiten«, sagte Cole leise.

»Die Regelmäßigkeit der Stadt erwächst aus Mauern, die durch Konkurrenz entstanden sind, der Konkurrenz der freien Marktwirtschaft. Dies ist ein Ort flexiblen, fiebrigen Metalls – leise, effizient und blasiert. Mit BZV und Technerlink wird es *keinen Bedarf für Städte mehr geben*. Für *uns*. Und die Verbrecher wollen diese idiotische Einförmigkeit – das macht es einfacher, die unwissenden Massen in ihre Gewalt zu bringen. Das organisierte Verbrechen kann, wenn es erst einmal rechtmäßige Ausläufer hat, unter dem Deckmantel der Aufrechterhaltung von Recht und Ordnung weiterwuchern ...«

»Ich... ich glaube schon«, sagte Cole unsicher.

»Du *glaubst* das nicht?« Stadts Gesicht schwoll auf dem Bildschirm an, bis nur noch die Brille und die Nasenwurzel zu sehen waren.

Cole ließ sich erschüttert auf die Ellbogen zurücksinken. »Sicher glaube ich dir – aber ich bin nicht sicher, ob dieses Dorfprojekt es, hmm, wirklich einfacher für die Gangster macht. Dezentralisierung bedeutet, sie werden ihre Jungs verdammt dünn verteilen müssen. Ich habe das Gefühl, als wäre Technerlink eine Konkurrenz für BZV und...«

»Willst du mich schon wieder verraten?« fragte Stadt.

Cole erschauerte bei dieser Anschuldigung und wich seinem Blick aus. »Keineswegs, ich wollte nicht...«

»Mit dieser Frau. Du gingst. In eine andere Stadt. Ich hätte hier deine Hilfe brauchen können. Du hast auf sie gehört. Wie steht's mit *uns?*«

Und dann fühlte Cole plötzlich wieder die wunderbar vielschichtige, allgegenwärtige Präsenz der Stadt. Die Blaupausen hinter seinen Augen, die Kraftfelder und -linien und die Ballungszentren der Massen, die im Dunkel seines Geistes glommen. Und nach innen mit dem profunden, umfassenden Gefühl der Zugehörigkeit und fraglosen Identität glühend, sagte Cole: »Wir werden sie bekämpfen.«

Es mußte eine Bombe sein. Es gab ein paar Plätze, die Stadt nicht erreichen konnte, so wie ein Mensch auch nicht die Funktion jedes einzelnen inneren Organs kontrollieren kann. So konnte Stadt zwar die Türen zu den Computern öffnen, aber zerstören konnte er sie nicht. Nicht so, wie er eine Straße aufreißen oder einen Laternenpfahl biegen konnte. Aber Cole war Stadts verlängerter Arm.

Stadt hatte die Bombe beschafft. Cole hatte sie in einem Schließfach im Busbahnhof gefunden. Sie hatte Form und Größe einer Pralinenschachtel, war aber in braunes Packpapier eingewickelt. Sie paßte ausgezeichnet unter seinen Arm. An einer Ecke ragte ein schwarzer Knopf hervor, auf dem ein weißer Strich zu erkennen war. Wenn man diesen Knopf so lange drehte, bis der weiße Strich genau auf ein schwares x daneben zeigte, stellte man einen Zeitzünder ein, der die Bombe binnen einer Minute zur Detonation brachte.

Es war eine kleine, aber wirksame Bombe, wie Stadt ihm versichert hatte.
Cole fragte sich flüchtig, wer – welches menschliche Werkzeug – sie hergestellt und für ihn deponiert hatte.
Nun stand Cole vor einem flachen Gebäude aus schwarzer Granitimitation, den Kontrollräumen des Datendistributionszentrums von BZV. Aus Loyalität gegenüber Stadt (und auch, um seine eigenen Zweifel auszuschalten) stellte er sich den großen unterirdischen Computer als große Schwarze Witwe vor, die in den Datenspeichern, die ihr Netz waren, hauste...
Er stellte sich vor, er würde den großen Computer summen hören und fühlen. Er stand auf dem Gehweg vor der Südseite des fast konturlosen Bauwerks und sah sich um. Er trug eine kurze schwarze Lederjacke, glänzende Jeans und Sandalen. Keine Maske – sie wußten ohnehin, wer er war. Er stand in der Dunkelheit unter einer defekten Laterne und wartete.
Der Gehweg brach auf, die Stadt selbst half ihm bei seinem Unternehmen. Mit einem scharfen Knirschen weitete sich der Spalt, Betonbrocken verschwanden in der Dunkelheit und erzeugten auf einer unbekannten Oberfläche tief unten polternde Geräusche. Der Riß klaffte immer weiter auf, eine tiefere Ebene brach, und plötzlich schien von unten gelbes Licht herauf. Cole verstaute die Bombe in seiner Tasche neben der Waffe (von der er geschworen hatte, sie nie mehr anzurühren). Dann, nachdem er sich versichert hatte, daß er auf der nächtlichen Straße allein war – kein Wunder um 2 Uhr in der Frühe –, ließ er sich auf Hände und Knie nieder, setzte sich auf den Rand und ließ sich in den Spalt gleiten. Er landete auf den Füßen und fummelte sofort nach seiner Waffe. Er sah sich um, aber es war keiner da. Von einem knirschenden Geräusch überrascht, sah er nach oben. Der Spalt in der Decke schloß sich wieder. Er starrte den Flur hinunter, der zu dem Granitgebäude und dem unterirdischen Computerzentrum führte.
Der Flur war unglaublich weitläufig und hell erleuchtet. Er fühlte sich schutzlos. Aber es war niemand zu sehen.
Instinktiv schlich er gebückt weiter, obwohl diese Haltung ihn weder leiser machte, noch seinen Argwohn verdrängte. Er kam an eine Kreuzung und spähte vorsichtig um alle Ecken, sah aber nur verlassene Korridore.
Gelbe Neonröhren und Kachelboden links und gelbe Neonröhren und Kachelboden rechts. Wohin? Wie eine Antwort begann im linken Korridor ein Licht zu blinken... *danke, Stadt.* Er wandte sich nach links und hielt die Waffe locker in der Hand.
Er konnte die Vibration der Stadt ringsum fühlen. Die Intensität wurde durch die Resonanzen seiner Enklave noch gesteigert. »Ich bin unter *sei-*

ner Haut«, dachte er bei sich, und diese Intimität machte ihn fast trunken. Daher fragte er sich nicht: *Was, zum Teufel, mache ich eigentlich hier?* Noch nicht.
Wieder eine Gabelung. Ein gelbes Licht blinkte rechts. Ein Schild an der Wand sagte BZVCZ, darunter deutete ein roter Pfeil nach rechts. Er ging in diese Richtung, machte drei Schritte... und blieb stehen. Seine Hand umklammerte die Waffe.
Der Sicherheitsroboter kam auf ihn zu. Er beugte sich leicht nach vorn, seine Arme schwangen fast lässig. »Stadt?« sagte Cole. Das Ding rollte weiter auf ihn zu. *»Stadt?«*
Es berührte ihn unmerklich und glitt wieder zurück. Cole atmete erleichtert auf.
»Danke.«
Das Ende des Korridors: Dort war eine dicke Metalltür in der Wand. In sie eingelassen war ein kugelsicheres Panzerglasfenster. Er drang bis zu diesem Fenster vor, sah hindurch und verfluchte sich noch im selben Augenblick für seine Voreiligkeit. Eine Wache mit grauer Baseballmütze betrachtete ihn von der anderen Seite. Der Mann löste seine Waffe.
Die Tür begann seitlich in der Wand zu verschwinden. Als das Fenster vorüberglitt, sah Cole Verwirrung im Gesicht der Wache. Stadt hatte die Tür geöffnet, und das verunsicherte und verwirrte den Mann. Stadt würde auch dafür sorgen, daß seine Waffe nicht funktionierte.
Und von Cole wurde erwartet, daß er den Fremden niederschoß... Cole zögerte unsicher.
Die Tür war nun ganz in die Wand zurückgewichen. Der Wächter starrte mit doppelter Verwirrung auf seine Waffe: Sie war unbrauchbar. Hinter dem Mann befand sich ein langer Metallkomplex mit vielen Lichtern: der Computer.
Während die beiden Männer sich unsicher ansahen, herrschte einen Augenblick lang vollkommene Stille. Der Flur vibrierte, aber es war kein eigentliches *Summen*. Für die großen Computer wurden keine Relais mehr verwendet. Sie waren völlig still. Endlose Verkleidungen aus Chrom – still, kalt und vertrauenswürdig. Schweigen ist nicht Gold, es ist Chrom.
Der Mann bewegte sich, und Cole riß die Waffe hoch. Aber er schoß nicht. Der Mann hatte ihn nicht angegriffen, aber er sprang zur Seite, um möglicherweise einen Alarm auszulösen. Einen Alarm, der nicht funktionieren würde. Als es genauso kam, war der Mann nicht mehr überrascht. Er sagte lediglich: »Gottverdammt!«
»*Meine* Waffe funktioniert«, sagte Cole und richtete seine Pistole auf die Brust des Mannes.
Der Wächter wich zurück, starrte die Waffe an und atmete schwer. Jetzt erst nahm Cole zur Kenntnis, daß der Mann jung und schlaksig war und

dunkelbraune Haut hatte – wahrscheinlich war er in seiner Freizeit Surfer. Er schien kräftig zu sein. Seine blauen Augen zogen sich zusammen, und er fragte: »Was... was ist los? Was wollen Sie hier?«
Cole biß sich auf die Lippen. Er fühlte Stadt unsichtbar an seinem Ellbogen. Er drängte: *Töte ihn töte ihn töte ihn töte ihn töte ihn...*
»Nein«, sagte Cole.
»Was?« Der Mann schien verblüfft. Seine Mundwinkel zuckten.
»Nichts. Wieviel Wachen sind sonst noch da?«
»Sechs. Die meisten sind oben und schlafen.«
Sechs! Stadt hatte die Zeit sorgfältig gewählt. »Legen Sie sich flach hin«, befahl Cole.
Der Mann gehorchte langsam. *Jemand wird ganz bestimmt getötet werden, wenn die Bombe hochgeht,* dachte er plötzlich, als er an der Wache vorbeiging und das Päckchen an die Chromverkleidung legte. Er zögerte, seine linke Hand zitterte über dem Knopf.
Er zögerte... und dann traf ihn etwas von hinten. Er war wieder unvorsichtig gewesen. Er fiel mit dem Gesicht nach unten, der Wächter war über ihm. Er spürte, wie seine Finger, die die Waffe umklammerten, von der kräftigen Hand des anderen Mannes zusammengedrückt wurden, der wie eine Zentnerlast auf ihm lag. Der Mann bemühte sich, Cole niederzuhalten und ihm gleichzeitig die Waffe zu entwinden. Cole betätigte den Abzug zweimal konvulsivisch. Die Schüsse erschreckten den Mann, sein Griff lockerte sich. Damit gab er Cole die Möglichkeit, sich vollends herauszuwinden. Noch immer die Waffe in der Hand, sprang Cole auf die Beine. Er wandte sich um, rannte den Korridor hinunter. Hinter sich hörte er Schüsse: Andere Wachmänner waren durch seine Schüsse alarmiert worden, aber Stadt würde die Stahltür hinter ihnen schließen, und das würde sie eine Weile aufhalten. Seine Lungen sogen keuchend die nach Eisen schmeckende Luft ein. Cole hastete Korridore entlang, bog um Ecken und verfluchte das Echo seiner lauten Schritte.
In weiter Ferne begannen Sirenen zu heulen.
Cole wandte sich nach links, hastete einen Gang hinunter, wandte sich nach rechts. Er war nicht mehr sicher, wohin er lief. Eine Tür öffnete sich vor ihm. Er stürzte durch und eilte eine Betontreppe empor. Er fand sich in einer Abstellkammer knapp unter dem Straßenniveau wieder. Dort wühlte er in einem Haufen Rohre und Kabel, fand eine Aluminiumleiter dazwischen, stellte sie an die Wand und kletterte mit hastigen, ungeschickten Bewegungen zu einer stählernen Schleusentür hoch, wobei er die Waffe in der linken Hand hielt. Dann griff er nach dem Öffnungsrad der Schleuse. Sie glitt viel zu einfach auf: Stadts Hilfe. Er kletterte hinaus in die Nacht und atmete dankbar die kühle Luft ein. Er befand sich auf einer Ladestraße hinter dem Granitbauwerk. Lichter blitzten auf, Sirenen

heulten, Rufe erschollen hinter der Ecke. Ein Scheinwerferpaar glitt in die Sackgasse herein, das Fahrzeug füllte die enge Passage ganz aus und kam auf ihn zu. Panisch fluchend suchte er nach einem Ausweg. Seine Suche war vergeblich. Der Wagen, dessen Umriß von den grellen Scheinwerfern verwischt wurde, kam unablässig näher. Er preßte sich flach gegen die Wand, als er einen halben Meter vor ihm zum Stillstand kam. Die Lichter gingen aus. Es war ein leerer Wagen, dessen Tür sich öffnete. »Gott sei Dank«, stieß Cole hervor und taumelte durch einen heißen Nebel der Erschöpfung zum Fahrersitz. Am besten, er setzte sich dorthin, damit niemandem das fahrerlose Fahrzeug auffiel. Die Tür fiel zu, der Rückwärtsgang wurde eingelegt, die Scheinwerfer gingen wieder an, das Lenkrad drehte sich, als der Wagen aus der Sackgasse auf die Straße hinausfuhr. Er steuerte nach rechts. *Zu schnell,* dachte Cole. *Mit dieser Geschwindigkeit wird er allgemeine Aufmerksamkeit auf uns lenken.* Fast augenblicklich klebten ihm zwei Polizeiautos an den Hinterrädern. Der Wagen gewann an Geschwindigkeit, überfuhr eine rote Ampel (da sowohl Stadt als auch Cole wußten, daß von der anderen Seite niemand kommen würde) und raste weiter in eine fast verlassene Allee hinein. Lichter schossen vorüber, dann dunkle Schattenseen, hell/dunkel/hell/dunkel, yin yang, yin yang, hell/dunkel, und im Spiegel: die kreisenden Rotlichter der Polizeiwagen, wie Dämonenaugen, die ihn verfolgten. Stadts Stimme kam aus dem Radio: »Du hast ihn nicht getötet, und du hast die Bombe nicht gezündet.«

»Ich sagte dir schon, ich bin kein verdammter Geheimagent«, erwiderte Cole und zuckte unter der unausgesprochenen Anklage der Untreue zusammen.

Die Polizeiwagen kamen näher. Ein weiterer gesellte sich aus einer Seitenstraße zu den Jägern. Bald würden sie die Straße vor ihm blockieren können.

Aber da griff Stadt ein. Die Polizeiwagen hinter ihm wurden langsamer. Sie hielten fast an, dann begannen sie, sich in absurden Figuren zu drehen. Cole, der das Geschehen im Rückspiegel verfolgte, mußte lachen. Wie würden sie das in ihren Berichten erklären? »Den Autos war eben plötzlich nach Tanzen zumute, Sir«, mokierte sich Cole und beobachtete weiter die bizarre Szene.

Dann bremste der Wagen plötzlich heftig, Cole wurde nach vorne geschleudert und konnte einem bösen Aufprall mit dem Kopf nur noch dadurch ausweichen, daß er das Lenkrad umklammerte. Genau vor ihm versperrten zwei Polizeiwagen die Straße. »BLEIBEN SIE, WO SIE SIND...« dröhnte es aus ihren Lautsprechern.

Doch dann wurde die verstärkte Stimme von Musik abgelöst, während die beiden Wagen sich gleichzeitig zu drehen begannen und Achter fuhren.

Ihre Lautsprecher verströmten Discomusik, ein Stück, das vor einem Jahr ein großer Hit gewesen war:

Komm, Baby, wir drehen uns im Kreis
Immer rund herum, immer rund herum
Komm, Baby, durch die ganze Stadt...

Cole bemerkte, wie der Wagen abbog. Mit etwas verminderter Geschwindigkeit brachte er ihn zu dem Apartment im Tenderloin-Distrikt. Coles Gelächter enthielt mehr als nur eine Spur Hysterie.

SIE-BENN!

Cole saß an einem dunklen Ort über der Stadt. Er saß allein vor einem nächtlichen Teppich kalter Stadtlichter, der vor ihm unter dem breiten Fenster ausgebreitet war. Rechts von ihm flimmerte lautlos ein Fernsehgerät. Er ließ es Tag und Nacht eingeschaltet. Links von ihm stand eine halb geleerte Bierflasche und eine halb gerauchte Zigarre, deren Glut schon längst ausgegangen war. In seinem Schoß hatte er die Pistole liegen.
Stadt hatte ihn in eine leerstehende Penthousesuite in den Rackham Arms gebracht, um ihn besser vor der Polizei und den Vigilanten verbergen zu können. Sie würden sich bestimmt die Mühe machen, alle Orte zu durchsuchen, die irgendwie mit Catz Wailen in Verbindung standen. Der Bewohner des Penthouse war über die Sommermonate nicht in der Stadt, und bisher hatte noch keiner sich über Coles Kommen und Gehen gewundert, da der Besitzer dafür bekannt war, seine Wohnung hin und wieder an Freunde zu vermieten. Die Suite war bestens mit Speisen und Getränken ausgestattet. Der Kühlschrank quoll über von Fleisch, die Schränke waren randvoll mit Konserven. Cole hatte sofort eine Abneigung gegen den Mann erfaßt, als er die professionell dekorierte Einrichtung gesehen hatte. Er hatte keinen Respekt vor Menschen, die so phantasielos waren, daß sie ihre eigenen Wohnungen nicht selbst einrichten konnten. Daher hatte er sich nach Kräften um etwas Unordnung bemüht, indem er wahllos überall auf den Möbeln und dem Fußboden leere Flaschen und Dosen stehenließ.
Nachdem er ihm die Wohnung zur Verfügung gestellt hatte, war Stadt plötzlich nicht mehr *präsent* gewesen. Cole war allein. Zwar verspürte er immer noch einen Hauch des urbanen Überverstandes, aber nur wie das Hintergrundrauschen eines Radios, nicht mehr. Er wartete schon drei

Tage, in denen er sich nicht aus der Suite hinausgetraut hatte. Cole wartete auf ein Wort von Stadt. In der Erwartung von Stadts kantigen Zügen, sah er gelegentlich zum Fernsehgerät. Aber jetzt war es Samstag, und immer noch war keine Nachricht von ihm da. Die Ereignisse der vergangenen Tage waren nur noch traumhaft in Coles Erinnerung, und er begann langsam, an der Realität der Welt jenseits des Glasfensters zu zweifeln – des Fensters, das eine ganze Wand der Suite einnahm. Er schlief tagsüber und stand nachts auf.

»Ich stehe auf, um zu warten«, sagte er sich zum wiederholten Male. »Dumm. Dumm.« Er saß mit überkreuzten Beinen auf dem Teppich, dicht neben dem Fenster. Abgesehen von dem bläulichen Flimmern der Mattscheibe, war es im Zimmer dunkel. Es war ein Farbfernsehgerät, aber Cole hatte es auf Schwarzweiß umgestellt, da die Farben ihn ungeduldig und neugierig auf die Welt dort unten gemacht hatten. Er existierte nur noch im Zwielicht des Wartens.

Seine Gedanken wanderten mit zorniger Intensität zurück zu Catz.

Er hatte die Telefonnummer in Chicago mehrmals gewählt, die sie ihm gegeben hatte, aber sie war nie da. Nur einmal hatte eine schläfrige Stimme geantwortet: »Hmm, wer bitte? Oh, die hat 'nen Auftritt irgendwo. *Wer* ist da?«

Die Stimme des Mannes klang eifersüchtig, daher hatte auch Cole Grund zur Eifersucht.

Cole betrachtete den Bildschirm. Jeromey Jeremy, Talkmaster der Hermaphroditentalkshow, streichelte ein Voguer-Starlet mit einer und seine eigene Brust mit der anderen Hand. Cole gähnte. »Vielleicht«, sagte er zu den Lichtern unter ihm, »bestraft mich Stadt schon wieder. Weil ich den Kerl nicht erschossen habe, als er es mir befahl und ich deshalb die Bombe nicht ordnungsgemäß anbringen konnte. Vielleicht läßt er mich absichtlich so lange darüber grübeln. Vielleicht will er nichts mehr mit mir zu tun haben... Aber warum verbirgt er mich dann noch hier?«

»Warum wohl?« fragte Stadts Stimme vom Fernsehschirm.

Cole sah auf. Stadts Gesicht war auf dem Schirm zu sehen. Eine Halluzination, geboren aus Verzweiflung? Cole biß sich in einen Finger. Der Schmerz war echt.

Wenn etwas ohne jeden Zweifel echt ist, dann ist es der Schmerz.

Also war Stadt da, Cole entspannte sich. Plötzlich erkannte er, daß er seit drei Tagen mit einer wachsenden Spannung gelebt hatte.

Cole stand unsicher auf und massierte seine Knöchel mit den Händen, um die Blutzirkulation wieder in Gang zu bringen. Er näherte sich dem Fernseher und blieb einen Augenblick stehen, in dem er Stadt mit einer Mischung aus Ehrfurcht und Angst betrachtete. *Ich bin sein,* dachte er. *Catz hatte recht.*

»Beim *Chronicle* arbeitet ein Mann. Er schreibt die Leitartikel und betreibt nebenbei ein paar journalistische Recherchen«, sagte Stadt. »Sein Name ist Barnes. Rudolph Barnes.«
Cole sog jede Silbe Stadts heißhungrig in sich hinein. Er suchte nach Anzeichen von Fürsorge oder Ablehnung. Stadts Stimme war kalt, aber nicht kälter als gewöhnlich. Darauf konnte er sich nicht verlassen.
Stadt fuhr fort. »Barnes weiß Bescheid über Rufe Roscoe und die Vigs und auch ein bißchen über dich. Er weiß, daß sie hinter dir her sind. Er weiß von den Beziehungen zwischen BZV und der Mafia – aber die sind inzwischen kaum mehr ein Geheimnis. Aber er plant einen großen Bericht für eine nationale Kabelanstalt. Ich möchte, daß du ihn anrufst und dich irgendwo mit ihm triffst. Aber sei vorsichtig, denn es wird morgen im Lauf des Tages stattfinden müssen – er verläßt die Stadt morgen nachmittag. Zur Zeit ist er in Santa Cruz, sonst könnte ich dich zu ihm bringen. Er wird morgen früh nach San Francisco zurückkommen und die Stadt morgen nachmittag wieder verlassen. Du hast nur ein paar Stunden Zeit. Finde ihn und erzähl ihm von Rufe Roscoes Bändern und allem, was du weißt – aber kein Wort über mich. Davon würdest du ihn kaum überzeugen können, und ich möchte mich nicht vor ihm zeigen. Ihm fehlt etwas... er ist kein Bewohner von San Francisco...«
Cole glaubte ein Vorurteil aus Stadts Stimme heraushören zu können.
»...er ist New Yorker und nur dieser Stadt gegenüber loyal. Aber such ihn trotzdem – er wird uns helfen. Ruf morgen gegen neun den *Chronicle* an. Und jetzt ruh' dich aus.«
»Sta...«
Aber er war verschwunden.
Er war verschwunden. Aber er war gekommen und hatte zu Cole gesprochen. Stuart Cole weinte vor Erleichterung.

Sogar auf dem Schwarzweißschirm der Telefonzelle konnte Cole sehen, daß Barnes ein rosiges Gesicht hatte. Er war genauso rosig wie hager, hatte fast kein Kinn und eine eckige, flache Nase. Aber sein Blick war stechend, und unter seinem durchschnittlichen, mageren Aussehen sprühte er vor Talent. Er war genau der Mann für diesen Job.
»Ja? Bitte?« fragte Barnes mit Grabesstimme.
Cole atmete einmal tief durch, dann platzte er heraus: »Ich bin Cole. Stuart Cole. Ich weiß von Ihrer geplanten Sache mit BZV und Rufe Roscoe, und ich weiß noch mehr.«
»Sehen Sie, werter Herr, es ist Sonntag«, sagte Barnes mit vor Erschöpfung matter Stimme. »Ich versuche immer, mir die Sonntage freizuhalten. Ich bin nur wegen einer raschen Konferenz hergekommen, dann werde ich wieder...«

»Okay, okay, lassen Sie das«, unterbrach ihn Cole. »Ich habe nicht viel Zeit.« Es war offensichtlich für ihn, daß Barnes nur so abweisend war, um seine Reaktionen zu testen. Er wollte nachprüfen, ob Cole ein Kämpfer oder ein Weichling war. »Ich bin derjenige, für den ich mich ausgebe, und ich lasse mich nicht so leicht entmutigen.«
Cole streckte sich selbstbewußt, als ihn Barnes durch den Monitor mit offensichtlicher Anerkennung musterte. Cole hatte sein Haar konservativ geschnitten, er trug einen sehr gewöhnlichen Geschäftsanzug, den er in einem Schrank der Suite gefunden hatte, dazu eine Brille mit blauen Gläsern, da er seine Entdeckung fürchtete. Trotzdem war er nervös. Er befand sich in einer öffentlichen Telefonzelle in Chinatown, an der regelmäßig Polizeistreifen vorbeikamen. Ein besonders scharfer Bulle, oder einer, der vor kurzem sein Fahndungsbild gesehen hatte, konnte ihn selbst auf größere Entfernung erkennen.
»Sie sehen wie der Bursche aus«, sagte Barnes.
Cole war verblüfft. »Sie haben Bilder von mir gesehen?«
»Klar, wir bekommen alle Polizeimitteilungen. Ihr Steckbrief rangiert an erster Stelle. Ich glaube Ihnen trotzdem. Sie geben mir die Informationen, die Sie besitzen, dann werde ich mich bemühen, Ihren Ruf wieder so untadelig zu machen wie den von Fort Knox.«
»Da ist ein Restaurant am Broadway, Luigi's.«
Barnes nickte. »Wann?«
»So bald wie möglich. Ich werde das Lokal aus der Nähe beobachten, und wenn alles unverdächtig aussieht, dann komme ich rein, falls Sie da sind. Bringen Sie nichts verdächtig Aussehendes mit.«
»Okay, aber sollte ich nicht...«
»Die Polizei anrufen?«
»Nein.« Barnes grinste, wobei er schlechte Zähne enthüllte. »Nein, ich wollte sagen, sollte ich nicht etwas mitbringen, womit ich später meine Geschichte untermauern kann? Einen tragbaren Videorecorder?«
»Nein. Das würde nur Aufmerksamkeit auf uns lenken. Wenn wir dort sind, werde ich Ihnen sagen, wo Sie Beweise bekommen können.« Cole unterbrach die Verbindung und verließ die Zelle. Er trat blinzelnd ins grelle Sonnenlicht. Er hatte sich schon an das Nachtleben gewöhnt, die Sonne tat seinen Augen weh und er mußte ständig Tränen wegblinzeln. Er gähnte. Er hatte nicht genügend geschlafen. Er schlenderte den Berg hoch und bemühte sich, wie ein Geschäftsmann auszusehen, der nach einem chinesischen Restaurant sucht.
Bergauf mußte er sich durch eine dichte Menge von Sonntagnachmittagspaziergängern drängeln, die wie ein Lavastrom bergab floß. Eine Parade von T-Shirts und Sonnenbrillen links, hupende und dröhnende Autos rechts. Die heiße Luft roch nach Schweiß, Rasierwasser, verschiedenen

Parfüms und Deodorants, Fisch, seltsam gewürzten Speisen und Fleisch aus den chinesischen Lebensmittelläden. An Straßenständen wurden Souvenirs und Eis verkauft, hier und da hörte man einen Ruf durch die heiße Luft Chinatowns gellen: »Frisches, kühles Eis!«
Schwitzend und eingeengt in seinem Anzug erreichte er endlich den Broadway, wo er sich dankbar im Schatten eines Hauses gegenüber von Luigi's hinstellte. Er stand mit dem Rücken zur Wand und betrachtete möglichst gleichgültig den Teppich vorübereilender Menschen auf dem Gehweg. Er konnte die Eingangstür von Luigi's zwar sehen, doch die Fenster spiegelten die Sonne wider. Aber Barnes konnte ohnehin noch nicht hier sein.
Nun, da er sich nicht mehr im Hauptstrom der Menschen befand, fühlte sich Cole irgendwie sonderbar. Er rieb sich die Hände an den Hosenbeinen ab, war nervös und hatte Angst, und als er das erkannte, bekam er noch mehr Angst und wurde noch nervöser, da ihn die Furcht packte, er könnte eben dadurch auffallen. Die Spannung in ihm wuchs. Mehr als einmal mußte er sich zusammennehmen, um nicht ängstlich über die Schulter zu blicken.
Um sich abzulenken, dachte er an Catz. Ganz in der Nähe hatten sie zusammen in dem Café gesessen und sich jeweils über den anderen gewundert. Er lächelte etwas, als er an die darauffolgende Nacht dachte. Er war noch nicht so alt...
Er benutzt dich, hatte sie gesagt.
Cole wollte plötzlich nicht mehr an sie denken.
Aus keinem besonderen Grund – keinem bewußten Grund – betrachtete Cole zwei Männer, die in einiger Entfernung von Luigi's standen. Einer trug ein geblümtes, blau-rotes Hemd und eine Kamera, die an einem Gurt um seinen Nacken hing, dazu noch Badehosen und Sandalen. Es war ein junger, muskulöser und gut gebauter Mann. Cole begann sich zu wundern, warum er sich so sehr wie ein Durchschnittstourist kleidete. Der Mann neben ihm, groß, schlank, mit dunkler Brille und zerknitterten Hosen, war wie Cole für das Wetter viel zu warm angezogen. Seine Körperhaltung war recht eigentümlich. Cole starrte ihn an. Mit der rechten Seite Cole zugewandt, beugte er sich nach links, und zwar so weit, daß er eigentlich hätte fallen müssen. Cole betrachtete ihn mit leicht abgewendetem Gesicht, seine Blickrichtung wurde durch die blaue Sonnenbrille verborgen. Er warf einen kurzen Blick zu Cole herüber, und es schien, als würde er etwas zu schnell wieder wegsehen. Nun fiel Cole auf, daß er sich auf eine Krücke stützte. Der Mann war aber noch viel zu jung für eine Krücke, dachte Cole. Plötzlich gesellte sich noch ein dritter zu ihnen.
Der dritte Mann, der einen knappen, blauen Anzug und eine dunkle Brille trug, trat vertraut zu den beiden anderen, sagte aber nichts. Er grüßte

nicht einmal, es sei denn, er hätte das tun können, ohne die Lippen zu bewegen. Cole hatte den Eindruck, daß ihn alle drei verstohlen beobachteten.

Cole atmete schwer. Schweiß lief ihm über den Adamsapfel in den Kragen. *Wer waren diese Vögel?*

Cole hatte den Eindruck, den Mann mit der Krücke schon einmal gesehen zu haben: Das lag nicht etwa am Gesicht des Mannes, es war seine Größe, seine Schulterpartie, sein eckiges Kinn. Wie eine verschwommene Traumerinnerung. Wo hatte er ihn schon gesehen?

Die Krücke. Sein linkes Bein war verletzt. Der Mann hielt die Krücke ohne vertraute Leichtigkeit. Er mußte gelegentlich den Griff wechseln, da er offenbar nicht an sie gewöhnt war. Das linke Bein – Catz hatte einem der Vigilanten in dem Haus in Berkeley ins linke Bein geschossen. Der einzige Überlebende. Derjenige, der Cole wiedererkennen würde.

Cole wandte sich ab und lief zu einem parkenden Taxi.

Eine Frau, die ein fettes Baby im Kinderwagen mit sich führte, trat zwischen ihn und das Taxi. Er rempelte sie an, entschuldigte sich hastig, wich aus – aber da war der Wagen verschwunden. Jemand tippte ihm von hinten auf die Schulter. Er fummelte in seiner Tasche nach der Waffe, drehte sich um und erwartete, niedergeschlagen zu werden. Barnes grinste ihn an. »Nervös, was?« fragte er.

Cole sah hinüber zu Luigi's. Die drei Vigs standen nicht mehr an der Ecke. Cole sah sie mit vorgetäuschter Gleichgültigkeit die Straße überqueren.

»Mein Taxi wartet dort drüben«, erklärte Barnes. »Ich dachte, wir könnten...« Barnes deutete zu einem gelben Taxi.

Cole rannte auf das Taxi zu.

Er hörte hinter sich einen Ruf, aber es war nicht Barnes' Stimme: »He!« Er riß die Hintertür des Wagens auf und hechtete hinein. »He, ich hab' schon 'nen Fahrgast«, protestierte der Fahrer...

»Schon in Ordnung, wir fahren zusammen«, beruhigte ihn Barnes, der hinter Cole einstieg.

»Bitte fahren Sie *sofort*«, bat Cole, der mit aufgerissenen Augen die Polizisten erkannte, die auf sie zurannten. Er betete, daß der Fahrer die Bullen nicht sah, die ihn durch Winken zum Halten aufforderten. Das Taxi fuhr an und fädelte sich in eine Lücke im dichtfließenden Verkehrsstrom ein. Es überfuhr eine Ampel bei Gelb und raste den Broadway hinab. »Fahren Sie... äh... zum Coit Tower«, sagte Cole, der wahllos ein Ziel nannte. Der Fahrer nickte.

»Vermutlich waren wir nicht allein dort«, sagte Barnes.

Cole nickte. »Vielleicht sind wir es immer noch nicht. Sie verfolgen uns.«

Barnes seufzte vernehmlich. »Junge, ich hoffe, Sie sind kein Irrer.«

»Ich *bin* ein Irrer«, antwortete Cole, »aber ich werde Ihnen trotzdem die Wahrheit sagen.«

»Aber... woher wußten diese Kerle, wo sie uns finden würden?«

Cole runzelte die Stirn. »Das wollte ich eigentlich Sie fragen.«

Barnes zog die Augenbrauen hoch. »Fahren Sie fort.«

»Nun... BZV ist buchstäblich überall. Hier in diesem Taxi«, er deutete zur BGE-Einheit neben dem Lenkrad. »Wie wollen Sie da herumlaufen und Fragen stellen, *unbequeme* Fragen, ohne deren Aufmerksamkeit auf sich zu ziehen?«

»Aber woher sollten sie wissen, wo wir...?« Barnes starrte Cole an, sein kinnloser Kiefer klappte herunter. »Mein Vidphon. Es wird wahrscheinlich abgehört.«

Cole nickte. »Wahrscheinlich schon eine ganze Weile.«

Sie fuhren mittlerweile hügelaufwärts, durch Gegenden mit Villen und smogblinden Fensterfassaden, immer noch Richtung Coit Tower.

Ein anderes Taxi folgte ihnen auf der sonnenüberfluteten Straße. Cole betrachtete es eine Weile über die Schulter. Neben dem Fahrer konnte er noch drei Silhouetten erkennen. »Vielleicht«, sagte er, »sollte ich Ihnen alles gleich erzählen... Zuerst einmal: Rufe Roscoe hat alle wichtigen Treffen mit seinen Komplizen auf Videoband festgehalten.«

Barnes rieb sich die Stirn. »Das ist nicht gerade schlau von ihm.«

»Ich weiß. Eine Dummheit. Aber es steckt Methode dahinter. Jedenfalls bewahrt er die Bänder in einem Tresor auf, und wenn jemand einen Hausdurchsuchungsbefehl erwirken könnte – der müßte von der Bundesanwaltschaft ausgestellt werden –, dann könnte man damit die ganze Organisation ausheben...«

Cole verstummte, da der Taxifahrer sie im Spiegel betrachtete. Das schwarze Gesicht des Fahrers, mit den tiefliegenden Augen, drückte Argwohn aus. »Was, zum Teufel, ist denn los mit euch beiden?« fragte der Mann rasch. Seine Augen glitten vom Spiegel zur Straße und dann wieder zum Spiegel.

»Kümmern Sie sich um Ihre Angelegenheiten«, schnappte Cole.

Der Taxifahrer schüttelte den Kopf. »He, seid ihr Jungs plemplem oder was? Ihr redet verdammt verrückt. Letzte Woche ließen mich zwei andere Blödschwätzer zum Coit Tower hochfahren, prügelten mich windelweich und nahmen mir noch 'ne Uhr ab, die ich schon seit zwölf Jahren hatte...«

»Schauen Sie, es ist doch wenig wahrscheinlich, daß so etwas zweimal hintereinander passiert, Mann«, sagte Cole müde.

Der Fahrer fuhr an den Straßenrand. Cole sah sich um. Das andere Taxi hatte ebenfalls angehalten.

»Zahlen Sie jetzt gleich den Fahrpreis, dann bring ich Sie hoch. Dort oben

können Sie dann den Rest berappen. Ich habe das Gefühl... ich weiß immer, wenn Kreditkarten nicht sauber sind. Hab' ich im Gefühl«, sagte der Fahrer bestimmt.
Barnes lachte und zog seine Kreditkarte aus einer Tasche seines zerknitterten Hemdes heraus. Seine Hand hinterließ feuchte Spuren darauf, als er sie dem Fahrer aushändigte. Der Mann schob sie in den Eingabeschlitz und wartete. Der winzige Bildschirm leuchtete auf. KONTO GELÖSCHT. Cole und Barnes starrten einander verblüfft an.
»Aber ich habe zweitausend Kredits auf diesem Konto«, tobte Barnes. »Ich habe heute morgen noch ein Frühstück damit gekauft...«
Cole schüttelte den Kopf. »Sie sind gebrandmarkt. Sie wurden mit mir zusammen gesehen. Man haßt mich.«
»Paß mal auf, Freundchen«, begann der Taxifahrer zornig – dann verstummte er und sah an seinen Passagieren vorbei zum Heckfenster hinaus. »Wer, zum Teufel, sind denn die Typen da hinten? He, der Bastard hat 'n *Gewehr!*«
Barnes duckte sich. Coles Hand griff nach seiner eigenen Waffe. Er zog sie heraus, starrte sie an und fragte sich, ob er sie wieder benützen könnte. Er sah sich verzweifelt um. Es war eine romantische, baumgesäumte Straße: hohe Backsteingebäude, manche davon efeuumrankt. Aus einem Fenster betrachtete sie ein Mann, der allerdings sofort den Vorhang vorzog, als Cole zu ihm aufsah. Cole sah in den Rückspiegel. Die drei Männer waren noch etwa zehn Meter von dem Taxi entfernt. Zwei begannen schneller auszuschreiten, der mit der Krücke blieb zurück. Alle drei waren bewaffnet.
Da er wußte, daß er es nicht über sich bringen konnte, nochmals zu feuern, richtete Cole die Waffe auf den Taxifahrer und sagte: »Steigen Sie aus und machen Sie, daß Sie von hier verschwinden!«
Der Mann gehorchte. »Der Teufel soll euch Halunken alle holen!« brüllte er noch über die Schulter. Cole kletterte auf den Vordersitz, warf die Pistole auf den Sitz neben sich, legte den Gang ein und wendete den Wagen in einem U-förmigen Bogen. Er preßte fest die Zähne zusammen und steuerte auf die drei Männer zu, die nur noch drei Meter von seiner Motorhaube entfernt waren. Einer warf sich beiseite, ein zweiter riß die Waffe hoch, um einen ungezielten Schuß durch die Windschutzscheibe abzugeben. Cole verschloß die Augen vor Mündungsfeuer und berstendem Glas, etwas Heißes pfiff an seiner Wange vorbei. Er trat das Gaspedal bis zum Anschlag durch und ließ die Augen geschlossen. Er hörte zweimaliges Poltern gegen den Wagen. Die Reifen fuhren holpernd über etwas Weiches, von hinten durchschlug ein zweiter Schuß die Heckscheibe. Cole hörte klirrendes Glas und ein Stöhnen vom Rücksitz. Er öffnete die Augen gerade noch rechtzeitig, um ein Polizeiauto zu sehen, das sich quer

über die Straße vor ihm stellte. Cole riß das Lenkrad scharf nach rechts. Jemand sprang auf dem Gehweg beiseite, das Auto wurde durchgeschüttelt, dann raste er mit zwei Reifen auf dem Bordstein an dem Polizeiauto vorbei und bog um eine Ecke. Aus mehreren Richtungen wurden Sirenen laut...

Sirenen sind die Begleitmusik meines Lebens, dachte Cole.

Die vorübereilende Straße glich einem Tollhaus: Die Autos auf der linken Spur hupten, vor ihm wichen Autos nach rechts und links aus, um dem wahnsinnigen Fahrer auszuweichen. Cole hupte dauernd, um die Leute zu warnen, aus seinem Weg zu verschwinden. Statik knisterte im Autoradio – Stimmensalat. Cole, der mit einer Hand lenkte und an jeder roten Ampel auf sein Glück vertraute, hatte eine Idee. Er griff nach der Mikrofonwand neben dem Funkgerät, drückte den Sendeknopf und brüllte hinein: »Stadt! Du kannst nicht physisch eingreifen, aber du kannst mit mir *und ihnen* sprechen! Du kannst die Bullen in die falsche Richtung schikken. Führ sie in die Irre! Gib dich als Polizeifunk aus!«

»Ja...« antwortete eine vertraute Stimme durch den Singsang der anderen Taxifahrer.

Kurz danach wurde das Geräusch der Sirenen leiser. Während der Wind durch die geborstenen Scheiben wehte und Glassplitter ins Wageninnere fielen, fuhr Cole zu einer U-Bahn-Station. Er parkte, stellte den Motor ab, atmete schwer und ließ sich schließlich erschöpft zurücksinken und das Adrenalin wirken. Benommenheit überkam ihn und ebbte wieder ab. Er erinnerte sich an Barnes. Er lachte unsicher. »He... he, Barnes – oh Gott, Junge, hatte ich Schiß... Verdammt gut gefahren, was? Man weiß erst dann richtig, was in einem steckt, wenn man...«

Dann verstummte er, da er sich an den Schuß erinnerte, der das Heckfenster zertrümmert hatte. Und an das Seufzen vom Rücksitz. Cole wandte sich nicht um. Das konnte er einfach nicht über sich bringen. »Barnes?« rief er mit brechender Stimme. »Oh Gott, tut mir leid, tut mir leid, Barnes.«

Schließlich mußte er sich doch umdrehen, da jeden Augenblick jemand in den Wagen hätte sehen können. Der Wagen parkte ja in der Nähe der U-Bahn-Station. Hier konnte jeden Augenblick jemand vorbeikommen. Und möglicherweise brauchte Barnes ärztliche Hilfe.

Cole drehte sich um und sah nach.

Der größte Teil von Barnes Kopf war verschwunden.

Aber was Cole am meisten zu schaffen machte, war, daß der Anblick brutaler, sinnloser Gewalt überhaupt keine Empfindung mehr in ihm regte.

Er stieg aus dem Wagen aus und taumelte erschöpft und ausgelaugt zur Station.

Cole ließ das Telefon am anderen Ende klingeln, bis es mindestens dreißigmal geläutet hatte.
Eine schläfrige Stimme meldete sich: »Ja, bitte?«
Coles Herz flatterte: »Oh... äh, Catz?«
»Stu?«
»Ja, warum schaltest du das Bild nicht ein?«
»Oh, ähem, meine Bildröhre ist kaputt – dieses Telefon ist innem schlechten Zustand.«
»Kannst du mich sehen?«
»Nein...«
Cole fragte sich, ob sie einfach nur deshalb den Bildschirn nicht einschaltete, damit er den Mann neben ihr im Bett nicht sehen konnte.
»Tja... was ist denn los?« fragte sie.
Cole lachte humorlos. »Weiß gar nicht, wo ich beginnen soll. Äh... nimm den Ohrhörer.«
»Okay«, sagte sie.
Also *war* jemand bei ihr. Andernfalls hätte sie gesagt, der Ohrhörer wäre überflüssig. *Geht mich nichts an.*
Dann erzählte ihr Cole rasch und mechanisch alles, was seit ihrer Abreise vorgefallen war.
Nachdem er geendet hatte, schwieg sie.
Schließlich fragte er: »Und... wie ist es so in Chicago?«
Als sie schließlich wieder sprach, erkannte Stu an ihrem Tonfall, daß sie weinte. »Verdammt, Stu, du bist in einem Irrenhaus. Du gehst über Leichen, rechts und links von dir werden Leute erschossen, und er läßt dich Bomben legen, von denen du nicht einmal weißt, was sie anrichten können. Du machst mich *krank*, Mann.«
»Du bist nur einfach zornig«, sagte Cole beschwichtigend, »weil ich dich um vier Uhr morgens geweckt habe. So spät ist es doch jetzt in Chicago, richtig?«
»Der Teufel soll dich holen, Stu!«
In der entstehenden Pause konnte man nur das Rauschen der Leitung hören.
Bis Cole mit vor Bitterkeit spröder Stimme sagte: »Catz, ich fürchte mich zu Tode. Aber ich kann nicht weg. Ich brauche dich. Bitte...«
»Nein. Verschwinde von dort. Geh weg von ihm. Er mißbraucht dich. Ich will nicht, daß du dich selbst verlierst. Schau mal, es ist doch alles offensichtlich, oder? Stadt fürchtet sich davor, daß die urbane Konzentration aufgebrochen und aufs Land verteilt wird, wenn Technerlink und BZV das bisherige System wegblasen. Er weiß, daß dann die Zeit der Städte um ist. Er benützt diese Gangsteraffäre nur als Entschuldigung – aber er würde immer so handeln, rechtmäßig oder nicht. Die *Todesstunde* der

Stadt hat geschlagen, Stu, und du mußt weg von ihm, Mann, bevor er dich mit hinunterziehen kann.«
»Das kann und will ich nicht.« Cole wurde zornig. »Ich brauche dich, aber ich brauche auch...« Er verstummte. Da war ein seltsames Geräusch... Das Freizeichen.
Sie hatte eingehängt.

AAAAACHT!

Die Penthousesuite stank nach verdorbenen Lebensmitteln, abgestandenem Essen und schimmligen Konservendosen. Auf perverse Weise erfreute sich Cole an dem Gestank. Er war empfänglich für negative Eindrücke.
Gott sei Dank war es Nacht.
Er hatte drei schlaflose Tage hinter sich. Es war Mittwochabend, und er hatte ungeduldig auf den Abend gewartet. Er fühlte sich nicht mehr wohl, wenn Stadt nicht präsent war...
Er ging vor der Glaswand auf und ab, rang die Hände und sah allzu oft nach draußen... War die Sonne bereits untergegangen? Ja, ja, sie war verschwunden.
Dann begann Cole es zu fühlen: die langsame Oszillation der Präsenz der Stadt, deren Wellenfrequenz ständig zunahm und sein Rückenmark zum Vibrieren brachte. In seinem Kopf erschien die bekannte Blaupause: Das Nervensystem der Stadt, das sein eigenes überlagerte.
»Cole...«
Cole ging zum Fernseher und setzte sich vor Stadts ernstem, elektronischem Bildnis nieder. »Cole«, sagte Stadt wieder, wie um seinen Namen zu genießen. »Du wirst heute nacht nicht in die Stadt gehen, du mußt dich ausruhen. Morgen wartet eine Reise auf dich. Du mußt die Stadt verlassen.«
»Nein!« Cole richtete sich zitternd auf. »Nein... ich fühle mich so... wertlos... wenn ich dich verlasse... als müßte ich zerbrechen. Letzte Woche hätte ich es noch tun können. Aber jetzt ist alles anders.« Er runzelte die Stirn und zwang sich zum Nachdenken. *Auf welche Weise* war alles anders?
»Wir sind einander näher gekommen, das stimmt«, gab Stadt zu und sprach damit aus, was Cole versucht hatte, mit Worten auszudrücken. »Aber jetzt, wo Barnes tot ist, mußt du gehen. Du mußt dich mit dem Distriktanwalt treffen.«

»Ich... hör mal, könnten wir es nicht so arrangieren, daß er hierher kommt? Ich finde mich hier besser zurecht. Sogar am Tage. Ich könnte das Taxi fahren wie... wie ein professioneller Stuntman. Weil ich dir inzwischen näher bin und die Straßen und Automobile jetzt offensichtlicher Teile von dir sind. Aber... außerhalb der Stadt...«
Cole gab auf. Stadt war unnachgiebig. Argumentieren war zwecklos.
»Muß ich...« begann Cole und wandte den Blick von dem anklagenden Gesicht auf dem Bildschirm ab. »Muß ich... äh... am Tag gehen?«
»Ich fürchte schon. Das ist die beste Zeit, um ihn zu erreichen. Ich habe eine Verabredung für dich getroffen... er hat den Eindruck, daß du jemand anders bist.« Stadt lächelte. »Eine bedeutende Persönlichkeit.«
»Aber...« Cole richtete sich heftig auf, als ihm der Fehler in Stadts Plänen bewußt wurde. »Aber ich kann nicht zur Distriktanwaltschaft gehen, weil ich polizeilich gesucht werde, und bei dem ganzen Tohuwabohu, das ich entfesselt habe, wird es bestimmt Ärger geben. Selbst wenn du mich unter falschem Namen schickst, irgend jemand wird sich an mein Gesicht erinnern. Außerdem muß ich mich zwangsläufig zu erkennen geben, um meine Geschichte glaubhaft zu machen – du mußt auch beweisen, daß du derjenige bist, für den du dich ausgibst, sonst werden die Gerichte kaum überzeugt sein.«
»Wie ich sehe, bist du nicht mehr auf dem laufenden«, sagte Stadt.
Cole rümpfte die Nase. »Ich habe nicht ferngesehen. Ich will nichts hören von...«
»Den Schießereien? Da hättest du dir keine Sorgen zu machen brauchen. Darüber hat man nichts gehört. Nur vage Andeutungen von Bandenkämpfen, an die sich mittlerweile ohnehin schon jeder gewöhnt hat. Nichts über dich. Die wenigsten Polizisten wissen, wer du bist. Denk darüber nach – sie sind nicht *alle* korrupt. Leute wie Barnes gibt es sowohl bei den Zeitungen als auch bei den Bullen. Angenommen, du wirst eingesperrt und jemand verhört dich und glaubt soviel von deiner Geschichte, daß er die Bundesanwaltschaft einschaltet. Angenommen, das lokale FBI würde sich dafür interessieren... Aber BZV will auf jeden Fall verhindern, daß du eine Aussage machen kannst. Die Bullen, *die dich kennen,* wie letzten Sonntag, haben Befehl, dich niederzuschießen, wo immer sie dich sehen, ob du nun Widerstand leistest oder nicht. Sie werden schon eine Entschuldigung finden.«
»Sie verschleiern es?« fragte Cole. »Die ganzen Morde?« Aber er war nicht überrascht.
Stadt sah ihn nur an.
Schließlich nickte Cole. »Wo und wann?«
»Sacramento, im Gebäude des Justizministeriums, drei Uhr nachmittags. Du kannst den Nachmittagszug nehmen.«

»Aber... was soll ich ihm erzählen?«
»Im selben Briefkasten, in dem du die Bombe gefunden hast, wird eine Fahrkarte und eine Brieftasche sein. Darin befinden sich Mitschriften und Videoaufzeichnungen Roscoes und ein Stück Band, um das Ganze glaubhafter zu machen. Das sollte sie aufmerksam machen, wenn es auch nicht als Beweismittel verwendet werden kann, da es illegal erworben wurde.«
»Wie erworben?« fragte Cole eifersüchtig. »Ich möchte den Mann kennenlernen, der das Material in den Briefkasten wirft und... für dich beschafft. Wir könnten einander helfen... und reden.«
»Nein«, widersprach Stadt, dessen Bild zu verblassen begann. »Es ist kein Mann. Nur ein Sicherheitsroboter. Nur eine kalte Maschine. Ihr habt wenig gemeinsam.«
»Da bin ich nicht so sicher«, murmelte Cole, als Stadts Bild vom Schirm verschwand. *Nur eine kalte Maschine.*

Cole war froh darüber, daß er eine Fahrkarte Erster Klasse mit Schlafwagenticket hatte. Denn seit er die Grenze von Stadts zwar unterschwelliger, aber trotzdem immer spürbarer Gegenwart verlassen hatte, fühlte er sich elend. Sogar hier, in der Behaglichkeit der Schlafnische, wurde Cole gepeinigt. Er warf sich von einer Seite auf die andere. Einen Augenblick fühlte er sich klaustrophobisch, im nächsten schon blank und schutzlos ausgeliefert. Vor allem aber fühlte er sich vollkommen allein und verlassen. Sein Magen war eine schmerzende Höhlung. Er schalt sich selbst, um das Zittern in ihm zu beruhigen, den kaum unterdrückbaren Wunsch zu weinen. *Verlassen! Heim! Zurück nach Hause!*
»Scheiße!« sagte er laut und kaute an seinem Daumennagel. Er starrte in eine Ecke des dämmerigen Abteils. »Ich benehme mich wie ein kleines Kind.« Er versuchte, sich durch das konstante Klirr-klick-klirr-klick der Räder zu beruhigen. Etwas zu trinken wäre jetzt gut, dachte er. Er mußte für das Treffen fit bleiben, aber es konnte helfen, wenn er sich nur ein klein wenig betäubte. Nur ein klein wenig. Die Leere in ihm schien mit jeder Vibration des Zuges mitzuschwingen und erinnerte ihn unaufhörlich und schmerzlich daran: *Du bist an einem fremden Ort, Cole, einem fremden Ort, Cole, einem fremden Ort, Cole...*
Cole richtete sich zornig auf und schwang sich von der Liege herunter. Er strampelte sich durch die Vorhänge, um auf die Beine zu kommen und stand schließlich schwankend in dem schmalen Korridor zwischen den Nischen, die alle mit Vorhängen zugezogen waren. Er machte sich auf den Weg zum Speisewagen. *Nur einen oder zwei,* dachte er. *Jemand wird mir ein paar Drinks spendieren.*
In der lauten, luftigen Passage zwischen den beiden Wagen begegnete Cole einem käsigen, großen Mann mit Gabelbärtchen. Die hinter einer

Brille verborgenen Augen erregten Coles Aufmerksamkeit – die Spiegelgläser erinnerten ihn an Stadt. Der Mann hatte kurzes Haar, das seitlich gefärbt war und das Muster eines Malteserkreuzes zeigte. Als Cole die Passage betrat, verbarg der Mann etwas unter seinem Armeeübermantel. Sie betrachteten einander eine Weile schweigend, dann entspannte sich der Mann. Er lockerte den Griff um seinen Mantel und zeigte Cole so die Tablettenschachteln, die er in bleichen Fingern hielt. Sie hatten einander noch nie getroffen, aber sie kannten sich: Cole der Käufer, der Mann der Verkäufer. Straßeninstinkt identifizierte sie augenblicklich, obwohl Cole schon seit Jahren keine Drogen mehr genommen hatte. »Was vorrätig?« fragte Cole den Mann und vergaß einen Augenblick, daß er gar kein Konto mehr hatte.

»Trilithums«, antwortete der Mann. »Wahrnehmungsverzögerungsmittel. Das Stück zu vier Krediteinheiten.«

Cole dachte nach. Er hatte kein Konto, keinen Kredit, gar nichts.

Aber er hatte eine goldene Taschenuhr, die er in einer Schublade des Penthouse gefunden hatte. Es war eine teure Digitaluhr mit eingebautem Rechner. »Ich habe nur das hier«, sagte Cole und gab dem Mann die Uhr.

Das Gesicht des Mannes zeigte keine Regung, aber seine Stimme war zu gierig, als er sagte: »Ja, okay, könnte drei davon wert sein.« Obwohl sie beide wußten, daß die Uhr wahrscheinlich mehr als dreihundert wert war.

Cole nickte achselzuckend. Der Mann reichte ihm drei Trilithums, die Cole sorgfältig neben seiner letzten Zigarre in der Tasche verstaute. Dann schlurfte er zurück zum Trinkbrunnen, wo er alle drei Trilithums hinunterspülte. Er begab sich wieder zu seiner Schlafnische. *Wie werde ich vom Bahnhof zum Justizministerium kommen?* dachte er. *Ich habe keine Kreditkarte mehr, um ein Taxi bezahlen zu können.*

Dann legte er sich hin und versank in einen köstlichen Dämmerzustand.

Wie sich herausstellte, war der Bahnhof nicht allzu weit vom Justizministerium entfernt, nur etwa eine Meile. Benommen und hin und wieder mit Passanten zusammenstoßend ging Cole die Straße hinunter. Sein Tranquilizerrausch war noch nicht ganz verflogen, der Aktenkoffer schwang lässig in fast gefühllosen Fingern. Blinzelnd sah er hin und wieder auf Straßenschilder, dann auf den Zettel mit der Adresse, den er zusammengeknüllt in einer Hand hielt. Auf diese Weise arbeitete er sich langsam zum Ministerium vor.

Fast schlafwandelnd fiel er beinahe ins Wartezimmer des Distriktanwaltes. Die Sekretärin betrachtete ihn argwöhnisch von oben bis unten. Cole lächelte ihr zu (er hoffte, daß es ein Lächeln war – seine Gesichtsmuskeln arbeiteten nicht ganz zu seiner Zufriedenheit) und sagte nuschelnd:

»'tschuldigung, bin 'n bißchen daneben, hab' 'n paar... Kopfwehtabletten genommen, gegen die ich empfindlich zu sein scheine.«
Sie nickte langsam. »Ja, das kommt vor.«
»Würden Sie Faraday sagen, daß ich hier bin?«
»Das habe ich bereits, Sir. Ihr Name ist Stuart Cole, Sie sind ein spezieller Prüfer vom Rechnungshof San Francisco?«
»Genau«, antwortete Cole schluckend. Er erinnerte sich nicht daran, ihr das gesagt zu haben, aber offensichtlich hatte er es doch getan. Dann traf ihn die Erkenntnis: *Wahrnehmungsverzögerungsmittel* hatte der Verkäufer gesagt. Möglicherweise setzte die volle Wirkung des Trilithums erst jetzt ein... »Scheißspiel«, stieß Cole undeutlich hervor. Er hoffte, er würde es bis nach der Verabredung schaffen.
»Vielleicht wollen Sie sich setzen...« begann die Sekretärin, aber eine Stimme aus einem verborgenen Lautsprecher befahl:
»Schicken Sie ihn rein.«
Sie wandte sich wieder an ihr Datenterminal und deutete mit dem ausgestreckten Daumen der rechten Hand zur Tür.
Cole wankte unsicher an ihr vorbei und bemühte sich um Orientierung. Seine Beine waren weit, weit weg. Die Objekte am Rand seiner Wahrnehmung schienen zusammenzuschmelzen. Er stieß sich durch die Schwingtür und betrat Faradays Büro. Der Mann hinter dem glänzenden Chrom-Synthoholzschreibtisch war im Nebel verborgen. Cole blinzelte, aber das verdichtete den Nebel nur noch. Die Droge. Cole konnte Faraday nicht deutlich sehen, glaubte aber einen eckigen, drahtigen Mann mit Neopompadourhaarschnitt zu erkennen. »Geht es Ihnen gut, Mr. Cole?« fragte Faraday mit jungenhafter Stimme.
»Ja... ich habe eine schlimme... Medizin genommen. Sie wissen ja, wie das ist. Ah...« Cole blinzelte und versuchte, den richtigen Faraday von den beiden anderen zu unterscheiden. Er blinzelte nochmals und konzentrierte sich... da wurden die drei Faradays zu einem. Cole taumelte bar jeglicher Anmut vorwärts, knallte die Aktentasche auf den Schreibtisch, öffnete sie mit zitternden Fingern und breitete Papiere und die Filmkassette vor Faraday aus. »Am besten, wir kommen gleich zur Sache«, sagte Cole. »Mir geht es nicht besonders. Das hier ist Beweismaterial für...« Er suchte nach Worten. »... für Korruption in der Polizei von San Francisco und in der San Franciscoer Filiale der BZV... eigentlich von Rufe Roscoe...«
»Ich bin«, unterbrach ihn Faraday hastig, »über die Art Ihres Materials informiert.« Er blätterte den Bericht durch, seine Augenbrauen hüpften von Seite zu Seite mehr.
Erst viel später begann Cole sich zu fragen, wer den Anwalt über ›die Art seines Materials‹ informiert hatte.

»Nun«, sagte Faraday und nickte, um zu zeigen, daß er von dem Material – das er nach Meinung Coles viel zu flüchtig durchgesehen hatte – beeindruckt war. »Das hier bedarf eines ausgedehnten Studiums. Ich werde den restlichen Nachmittag damit verbringen und heute nacht mit dem Geheimdienst darüber verhandeln. Wenn Sie mich daher vielleicht entschuldigen würden? Ich habe noch ein paar dringende Geschäfte zu erledigen. Ich bin in letzter Zeit sehr beschäftigt. Äh... könnten Sie morgen wiederkommen?«
Cole öffnete den Mund zu einer Antwort, schloß ihn dann aber wieder. Morgen? Aber das bedeutete ja, er mußte eine weitere Nacht und fast einen ganzen Tag von Stadt entfernt verbringen. Ein schrecklicher Gedanke. Aber er hatte keine andere Wahl. Er sah sich benommen in dem Büro um. Durch seinen Drogenrausch konnte er undeutlich einen gewaltigen Kommunikationsschirm sehen, daneben eine Maschine mit unbekannter Funktion.
»Mr. Cole?«
Cole sah verwirrt auf. »Oh – oh, ja, morgen. Schon in Ordnung.«
Cole machte auf dem Absatz kehrt und fiel fast durch den Schwung der Bewegung vornüber. Die Kombination von Schlaflosigkeit und Trilithum machte ihn so ungeschickt wie eine Marionette. Er schlurfte durch die Tür ins Wartezimmer – und blieb erschrocken stehen. Was hatte er vergessen? Die Aktentasche? Die konnte er morgen noch holen. Etwas anderes. Er hatte vergessen, die Uhrzeit für das morgige Treffen auszumachen.
»Sir?« fragte die Stimme der Sekretärin hinter ihm mit verächtlichem Unterton. Wahrscheinlich hielt sie ihn für betrunken.
Ihm war zum Lachen zumute. Er würde sich auf ihren Schoß setzen, sie seinen Atem riechen lassen und ihr damit das Gegenteil beweisen. Er fing sich wieder und nahm sich mit aller Gewalt zusammen. »Ich muß noch die genaue Zeit für morgen ausmachen«, erklärte er ihr. Dann wandte er sich vorsichtig um und watete durch den zähen Treibsand zurück in Faradays Büro.
Faraday stand an der grauen Maschine (die in die Wand eingebaut war und nur einen Eingabeschlitz und ein paar Knöpfe zeigte) und sah nicht auf. Er gab etwas in den Schlitz ein, während er zu der Kommunikationsanlage links von ihm sprach. Dort war ein Gesicht auf dem Schirm, das Faraday beobachtete. Das Gesicht gehörte Rufe Roscoe. »Wenn Sie sicher sind, daß Sie noch rechtzeitig da sein können«, sagte Roscoe, »dann lassen wir es. Nehmen Sie einfach das Material...« er verstummte, da er gerade irgendwo in San Francisco auf seinen eigenen Schirm geblickt und nun Cole gesehen hatte, der hinter Faraday stand. »Verdammt!«
Cole starrte Faraday an. Der Distriktanwaltsassistent fütterte Coles Unterlagen in die Maschine, die mit ziemlicher Sicherheit ein Reißwolf war.

Er hat einen direkt in seinem Büro, dachte Cole. *Gut ausgestatteter Bursche.* »Wahrscheinlich haben Sie vor, offizielle...« sagte Cole laut.
Er sah die Männer nicht, die ihn von hinten packten, aber er wehrte sich so sehr gegen ihren Griff, daß einer ihm einen Schlag auf den Kopf verpassen mußte. Und gerade als er in die Bewußtlosigkeit hinüberglitt, dachte er noch: *Das sind Bullen, und sie werden mich töten.*

NOOOIIINN!

Die Betonwände der Zelle schienen jegliche Wärme aus ihm zu saugen. Draußen war die Nacht warm. Aber hier drinnen, in der Zelle des Stadtgefängnisses von Sacramento, fühlte Cole sich arktischen Winden ausgesetzt. Zitternd knöpfte er den obersten Knopf seines Hemdes zu. Sie hatten ihm keine Uniform gegeben – wenn sie ihren fingierten Fluchtversuch begannen, wollten sie ihn in Zivilkleidung haben, damit die öffentliche Aufmerksamkeit von der Inhaftierung abgelenkt wurde...
Als er bei Einbruch der Dämmerung mit pochendem Schädel erwacht war, hatte er nachgedacht. Der einzige Grund, warum sie ihn nicht an Ort und Stelle getötet hatten, war der, daß es dort zu viele Zeugen gegeben hatte, deren Loyalität gegenüber BZV nicht ganz feststand. Außerdem hätte es keinen guten Eindruck gemacht, wenn ein Arzt dann festgestellt hätte, daß man ihn im Zustand der Bewußtlosigkeit erschossen hatte. Sie wollten ihn töten, dessen war sich Cole ganz sicher. Normalerweise wurde ein bewußtloser Gefangener ins Gefängnishospital gebracht. Aber sie wollten verhindern, daß er nach San Francisco überwiesen wurde.
Cole, der auf der Kante seiner Pritsche saß, nickte benommen. Sie würden den fingierten Ausbruchsversuch und seine Erschießung am Morgen, während des Rundgangs, ansetzen. Das war logisch.
Er legte die grobe Armeedecke um seine zitternden Schultern und schloß die Augen. Er lauschte den Geräuschen des Sacramentoabends, die durch das weit oben gelegene Fenster von der Straße heraufdrangen. Er ließ seine Gedanken schweifen und den tosenden Song der Stadt in sich aufnehmen und bezog große Behaglichkeit aus der Gegenwart einer Stadt, die seiner so ähnlich und doch wieder so anders war. Aber etwas war gegenwärtig, das er spüren konnte: ein Gefühl unsichtbarer Organisation. Er versuchte, sich auf dieses schwache Muster zu konzentrieren...
»Hier drinnen«, vernahm er eine Frauenstimme vor der Tür.
Cole sah hinüber zu dem winzigen Fenster der Tür. Er konnte sie nicht deutlich sehen. *Catz?*

Aber die Frau an der Tür war eine Fremde. Sie hatte ihr Haar streng auf eine Seite gekämmt, die hennagefärbten Locken fielen locker über eine Schulter. Der knallenge, grüne Anzug ließ eine Brust frei, auf der eine langfingrige Hand ruhte, deren Nägel blutrot lackiert waren. Sie hatte einen vollen Körper, ihr herzförmiges Gesicht wurde von tintenblauem Make-up teilweise verdeckt. Ihre Augen waren hinter einer rundumlaufenden Brille versteckt, die ganz aus Spiegelglas bestand. Das war merkwürdig. Offensichtlich war sie ein Freudenmädchen, und Damen dieser Kategorie verbergen nur ungern ihre Reize... Cole wußte, sie war eine Nutte, und dieses Wissen kam nicht nur durch seine Beobachtungen. Eine Voguerfrau konnte durchaus versuchen, eine Nutte zu imitieren – aber hier verhielt es sich anders: Sie war sowohl aufreizend als auch trotzig. Und noch etwas Seltsames fiel ihm an ihr auf: ein bestimmtes, unergründliches Selbstbewußtsein, ein Hauch verborgener Dimensionen. Diese Kombination hatte er zuvor nur bei Stadt bemerkt. Auch Stadt trug eine Sonnenbrille. Und Stadt konnte sich genauso leicht als Frau manifestieren.

»Stadt?« fragte Cole zögernd.

Sie lächelte kaum wahrnehmbar. Die Bewegung ihrer Gesichtshaut erfolgte wie in Zeitlupe. Es erinnerte an eine Marmorwand, die durch ein Erdbeben aufgeworfen wird. Sie war hart, sehr hart. »Stadt?« wiederholte Cole, nun fest davon überzeugt, daß nur er es sein konnte.

Sie schüttelte den Kopf. »Nein.« Ihre Stimme klang unerforschlich, heiser, weise. »Ich bin nicht dieser Ort. Ich bin anderswo.«

»Wie bist du hergekommen?«

»Ich kann in dieser Stadt kommen und gehen, wie ich will. Meistens... es gibt einige Orte hier, die selbst mir nicht zugänglich sind.«

»Sie wissen nicht, daß du hier bist?«

»Sie wissen nicht, daß ich hier bin... Sie wollen dich töten, Cole.«

»Dachte ich mir... Sie haben sich nicht einmal die Mühe gemacht, mir meine Rechte zu verlesen. Kein Telefonanruf. Ich vermute, der einzige Grund, der die Jungs hier bisher davon abgehalten hat, mir den Garaus zu machen...«

»... ist, daß San Francisco die Verantwortung dafür übernehmen soll, falls etwas schiefgeht«, beendete sie seinen Satz.

Cole spie auf den Boden. »Wie weit erstreckt sich Roscoes Einflußbereich?« fragte er.

»In diesem Staat bis Redding. Aber die Gangster versuchen, BZV überall zu infiltrieren. Mit gemischtem Erfolg. Sie werden bald eine unangenehme Überraschung erleben, wenn... wenn die anderen Orte sich organisieren.«

»Was meinst du damit?«

»Ich meine Tod. Ich meine zerschmettern und aufspießen und Gliedmaßen absäbeln. Ich meine Elektroschocks und Ertränken. Und alles effizient und selektiv. Tod für die richtigen Leute.« Cole wurde angesichts ihrer teilnahmslosen Stimme fast übel. »Aber wir müssen das alles koordinieren. Ich fürchte, deine... deine *Stadt* will nicht mit uns zusammenarbeiten. Er ist sehr eigenwillig. Er ist unnachgiebig. Deine Freundin hat dich gewarnt – das weiß ich, denn sie spricht mit Chicago, und Chicago spricht mit mir.«

»Du meinst Catz?« fragte Cole und umklammerte mit steifen Fingern die Pritsche.

»Ja. Sie hat ein ausgezeichnetes Verhältnis mit Chicago.«

Bilder wirbelten in Coles Verstand durcheinander, bis sie sich schließlich zu dem Gesamtbild zusammenfügten, das die Worte der Frau angedeutet hatten. Und Cole wußte: »Du bist Sacramento!«

Sie nickte.

»Und alle großen Städte haben... Selbsterkenntnis und... äh... eigene Mentalitäten? Und können sich manifestieren?«

»Manchmal, lautet die Antwort auf beide Fragen.«

Cole atmete tief durch. »Dann... dann kannst du mich hier rausholen?«

»Ja – wenn du mir etwas versprichst.«

»Ja.«

»Versprich mir, daß du versuchen wirst, deine Stadt zur Zusammenarbeit mit uns zu überreden. Es geht um den... den Sog. Er weiß, wovon du sprechen wirst... Wenn er engeren Kontakt mit uns aufrechterhalten hätte, dann hätte er um die Sinnlosigkeit deines Ausflugs gewußt, weil Faraday gekauft ist...«

»Ich verspreche es.«

Und damit schwang die Gefängnistür so sanft wie ein Babykuß auf.

Abgesehen von einem flatternden Falter war der Gefängniskorridor verlassen. Cole folgte ihr – Sacramento – zur kahlen Wand an seinem Ende. Dann löste Sacramento große Blocks aus der Wand, als wären es Kuchenstücke. Sie schienen unter ihren Fingern einfach zu einer porösen Konsistenz zu zerkrümeln. Cole versuchte ihr zu helfen, erntete aber nur blaue Flecken an den Händen. Die Wand war für ihn so solide wie jede andere Wand auch... Sie baute die Barriere methodisch ab und stapelte die Blöcke sauber an einer Seite, bis sie einen Durchgang ins Freie geschaffen hatte.

Dann führte sie ihn hinaus in die Nacht. Eine fahrerlose Taxe brachte sie zur Haltestelle, der Mitternachtszug fuhr gerade ein.

Sie küßte ihn zum Abschied, ihre Lippen berührten seine Wange.

Die Haut seiner Wange brannte, als wäre sie mit Trockeneis in Berührung gekommen.

Catz.
Sie erwartete ihn auf dem Gehweg vor seinem Hotel. Es war vier Uhr in der Frühe, Stadts Gegenwart begann bereits zu verblassen. Die Dämmerung glitt wie der Sucharm eines Radaroszilloskops über die Stadt. Noch während er sie anstarrte, wurde es ihm leichter ums Herz.
Er schüttelte den Kopf.
Er war aus dem Gefängnis frei, befreit aus einer Falle, die für ihn hätte tödlich sein sollen. Und Catz war hier, und er war wieder nahe bei Stadt. Das konnte nicht lange andauern.
Also keine Zeit vergeuden, dachte er und ging auf sie zu.
Sie umarmten sich. Coles Erschöpfung, die ihn noch Augenblicke zuvor hatte taumeln lassen, war beim Anblick von Catz wie weggeblasen. Catz stand im Licht der aufgehenden Morgensonne. Die blauen Schatten schrumpften um sie herum, und an ihren Schuhen schlug sich bereits der Morgentau nieder. Nun, da er sie in Armen hielt, überraschte ihn die Vielfalt der auf ihn einströmenden Gefühle... Sie schien seltsam klein, knochig und insubstantiell unter der Lederjacke, ein scharfer Kontrast zu der eindrucksvollen Gestalt, die er in Erinnerung hatte.
Er trat zurück und hielt sie auf Armeslänge von sich. Er sah sie an. Ihre goldbraunen Augen waren groß, die Pupillen durch die Schatten geweitet, durch die sie gegangen war. Ihr Haar war entfärbt, sie trug kein Make-up, ein paar Kratzer waren im schwachen Licht der Straßenlaternen zu sehen und verliehen ihr ein wunderbar tragisches Aussehen. Sie preßte die Lippen zusammen, um zu verhindern, daß sie zitterten; damit er nicht sehen konnte, wie glücklich sie tatsächlich war. Sie trug ein abgewetztes Paar uralter Jeans und ein T-Shirt unter ihrer geflickten Jacke. An der Hausfassade neben ihr stand mit weißer Farbe aufgesprüht: ANARCHIE.
Sie nickte in Richtung Hotel. »Kannst du uns denn beide überhaupt reinbringen?«
»Ja...« Er räusperte sich, um die Heiserkeit aus seiner Stimme zu verbannen. »Ja, um diese Zeit ist kein Portier hier. Die Tür öffnet sich mit Stimmabdruck und Schlüssel. Stadt hat es auf mich justiert. Aber das läuft nur noch etwa einen Monat, bis der tatsächliche Mieter zurückkommt.« Er stand einfach da und sah sie an. Seine Knöchel fühlten sich in der frühmorgendlichen Kälte arthritisch an. Er konnte es nicht über sich bringen, die Stimmung zu verderben, indem er zum Hotel ging.
Sie nahm es ihm ab, indem sie ungeduldig sagte: »Jesus, jetzt *komm* schon«, während sie ihre Khakitasche aufhob und sie über die Schulter warf. Sie richtete sich auf. »Ich bin fix und fertig. Bin mit 'nem verdammten D-Zug gekommen. Die sind noch schlechter als in meiner Kindheit. Noch *überfüllter.* Du würdest es nicht glauben.«
Etwas von seiner Erschöpfung kam zurück. Er mußte fast eine ganze Mi-

nute lang seine Taschen durchwühlen, bis er den Schlüssel gefunden hatte. Dann traten sie gemeinsam zu der Glastür mit dem Chromschloß. Er steckte den Schlüssel ins Schloß und sagte: »Öffnen.« Ein Klicken. Er zog den Schlüssel wieder heraus, und die Tür schwang vor ihm auf...
Im Fahrstuhl nach oben erzählte er trotz seiner Erschöpfung von der Begegnung mit Sacramento. Der Bericht fesselte sie, weil die Inkarnation Sacramentos eine Frau war. »Ich würde sie gerne kennenlernen«, sagte sie fast bewundernd. »Die Apotheose der Huren.«
»Nach allem, was sie mir gesagt hat, scheinst du hoch in der Gunst Chicagos zu stehen. Daher könntest du mal nach Sacramento gehen. Ich glaube schon, daß sie sich dir zeigen würde.« Der Fahrstuhl stieg Stockwerk um Stockwerk höher. Seltsam, morgens um halb fünf in einem aufwärts fahrenden Kasten zu sein. »Woher hast du gewußt, wo ich bin?«
»Chicago hat hin und wieder Kontakt mit Stadt. Offensichtlich ist San Francisco eine Art Tunichtgut... Du sagtest eben, sie würde sich mir wahrscheinlich manifestieren. Als stünde es völlig außer Frage, daß du mitkommst. Dann müßtest du allerding von *hier* weg, aber du hältst dieses Loch ja für den Garten Eden...«
»He, hör auf damit, Schlampe!« fuhr Cole sie an. »Ich habe seit Tagen nicht mehr geschlafen – abgesehen davon, daß ich ein paar Stunden lang bewußtlos war, und das war verdammt wenig erfrischend. Mir tanzen Sterne vor den Augen, und ich habe augenblicklich keine Lust, diesen oder einen anderen alten Streit fortzusetzen.«
Catz starrte die graue Metalltür an. Als würde sie diesem Blick weichen, öffnete sie sich zum obersten Flur. Cole führte Catz den Korridor hinab bis zur Tür des Penthouse. Dort vollführte er ein weiteres elektronisches Ritual, dann traten sie ein. Catz prustete abwertend los. »Bäh... Müll!«
»Tut mir leid. Ich weiß, es stinkt. Aber ich habe das fast absichtlich getan. Es reflektiert meine Stimmung... nehme ich an... Ich...« Er atmete tief ein. »Mir ging es hundeelend ohne dich.«
Sanft preßte sie einen Finger gegen seine Wange und schüttelte den Kopf.
Sie ließ ihre Tasche fallen und trat ans Fenster, um die Vorhänge zu öffnen. »Nein!« gellte Cole. »Die Sonne ist schon aufgegangen!«
Sie ließ die Hände wieder sinken und betrachtete ihn mit verändertem Gesichtsausdruck.
»Ich bin nur... äh...« stammelte er. »Ich hatte kaum Schlaf, meine Augen tun weh. Ich will jetzt kein helles Licht haben... nicht, bevor ich geschlafen habe.«
Darauf erwiderte sie lieber nichts mehr.
»Dann komm«, sagte sie statt dessen und stapfte durch den Unrat zum Schlafzimmer. »Schlafen wir 'ne Runde. Ich bin auch ziemlich kaputt.«

»Ja«, antwortete er und freute sich, weil sie einen Streit vermieden hatten. »Ich bin auch fertig.«
Sie entkleideten sich in dem dämmerigen Schlafzimmer und legten sich auf das weiße Leintuch. Jeder suchte des anderen Nähe. Cole, der das Gefühl hatte, in die Matratze einzusinken, lauschte schläfrig der neben ihm liegenden Catz, drückte sie an sich und sah nichts in der Antiwelt hinter seinen Augenlidern.
»... kommt mir immer noch komisch vor«, sagte sie gerade, »daß Stadt mir durch Chicago mitteilen ließ, wo du dich befindest. Und, daß er mich nicht aufgehalten hat, als ich versuchte, zu dir zu gelangen. Dabei glaubte ich ernsthaft, er wolle mich aus dem Weg haben, bevor... es ist fast, als hätte er ein wenig eingelenkt. Aber vielleicht ist das nur kurzzeitig. Vielleicht gewährt er uns auch etwas, weil er uns wesentlich mehr nehmen will... Oder vielleicht weiß er, daß ich nicht sehr lange bleiben kann. Ich muß zurück und versuchen, den Plattenvertrag unter Dach und Fach zu bekommen...«
»Spekulationen«, murmelte Cole in das Kissen, das unter seinem Atem feucht wurde.
»Ich meine... wie lange noch, Stu?« fuhr sie fort. Sie gähnte. »Wie lange kannst du das noch durchhalten? Kein Mensch kann auf Dauer so leben, wie du es gegenwärtig tust. Auf lange Sicht ist da nichts zu machen, Mann. Du wirst eines Tages genauso enden wie alle anderen Idioten dort unten auch, die Typen, die man so oft sieht, die Schizos, die sich mit Leuten unterhalten, die gar nicht da sind, die mit Straßenlaternen streiten und mit den Armen zappeln – so wird es einmal enden. Du kannst nicht immer hier bleiben. Und... ich denke immer noch an diesen Geist von dir, den du getroffen hast. Ich meine – wo soll das alles hinführen, Stu?«
Er antwortete nicht und tat so, als sei er schon eingeschlafen.
Eine Minute später war er es auch.

Sie schliefen den ganzen Tag. Als die Abenddämmerung die Vorhänge verfärbte, standen sie auf, duschten und kleideten sich an. Sie wählten blauseidene Bademäntel mit fremden Initialen an den Krägen.
In stummer Übereinstimmung räumten sie das Apartment auf und machten sauber, wobei sie ganze Arme voll Unrat in den Müllschlucker warfen. Cole bemerkte, daß Catz Telefon und Fernsehgerät abgeschaltet und die Stecker herausgezogen hatte. Er sagte nichts, denn er konnte Stadt fühlen, der hinter den zugezogenen Vorhängen lauerte.
Nun, da es Nacht war, lehnte Catz es ab, die Vorhänge zu öffnen.
Sie öffnete ihre Tasche und holte einen Cassettenrecorder und einen kleinen Stapel Cassetten heraus, von denen sie eine einlegte und dann die Lautstärke voll aufdrehte.

Das Band enthielt ein Sammelsurium von Songs verschiedener Interpreten, populär und obskur, alt und neu. Die Musik brachte neues Leben in die Wohnung. Der Beat, der unermüdliche, ewige Beat. Gerade lief ein Stück aus den späten Achtzigern. Es stammte von einer Gruppe namens The Odds und hieß »Transsexuelle Nutte...«

Es spielt keine Rolle, ob es dich fertigmacht
Für sie ist das alles einerlei.
Ich traf sie in einer Lederbar
Sie nahm mich mit heim und zeigte mir ihre Narben...

Catz tanzte, Cole mixte Drinks. Cole war noch zu erschöpft zum Tanzen. Ein warmes Halbdunkel machte das Zimmer gemütlich, die Möbel schienen mit Halbschatten verhangen. Cole konnte den Sog der Stadt spüren, der um das Hotel strich. Er fühlte sich wie die Achse, um die die Stadt rotierte. Er mixte weiter seine Drinks und betrachtete Catz beim Tanzen. Sie hatte den Bademantel geöffnet und tanzte mit manischer Intensität. Schweiß glänzte auf ihrem Körper. Cole hatte den Eindruck, als wollte sie die letzten Züge ihrer Jugend auskosten.
Die Band spielte weiter, hart, schnell und präzise. Der Sänger parodierte ausgezeichnet die beschwatzende Stimme eines Gebrauchtwagenhändlers...

Sie ist besser als ein echtes Mädchen
Zweimal so scharf und zweimal so grausam
Sie macht's dir auf 'nem Parkplatz
Für 'n Haufen Geld macht sie alles mit...

Sie ist nur 'ne transsexuelle Nutte
Und eines Tages wird sie mich reich machen
Sie macht's dir kalt, aber sie macht's dir gut
Wenn dich das Haar auf ihrer Brust nicht stört.

Sie ist nur 'ne transsexuelle Nutte
Ach Mist, sie ist nur 'ne sexumgepolte Hure

Cole gab Catz ihren Drink und setzte sich, um ihr zuzusehen. Im Dämmerlicht schien ihre weiße Haut zu fluoreszieren und fast hellblau zu sein. Sie war durchtrainiert und schlank, ihr Bademantel flog von einer Seite zur anderen – sie war ein neu erstandener weiblicher Vampir. Cole lächelte bewundernd... Sie tanzte weiter und verschüttete ihren Drink.

Das Stück endete, ein neues begann. Catz ließ sich auf das Sofa fallen und kippte den Rest ihres Drinks, während sie mit der anderen Hand Coles Hals umschlang. Sie brachte mit ihrem rhythmischen Zittern das Sofa zum Beben.
Cole hatte seinen zweiten Scotch geleert, als Catz ihm das Glas aus der Hand nahm und mit aller Gewalt gegen die Bar schleuderte, wobei sie nur knapp das rote Licht verfehlte – ihre einzige Lichtquelle im Raum. Das Glas zerschellte, Catz lachte laut. Cole verstand, daß sie es nicht aus Wut getan hatte. Sie griff nach ihrem eigenen Glas und warf es mit aller Kraft gegen die Eingangstür. Es zerbarst nicht. Catz lachte ihm zu und ließ sich in seine Arme fallen, ihr Gewicht drückte ihn hinunter in die Kissen.
Er öffnete seinen Bademantel. Die Drinks umnebelten seinen Verstand bereits, und sie preßte sich an ihn. Seine obere Hälfte war angenehm straff, während sein Unterleib sich zusehends verhärtete, eine Härte, die sie mit ihren Lippen erkundete, während er mit seinen Fingerspitzen zärtlich über ihren Rücken strich und damit elektrische Schauer in ihren Muskeln auslöste. Ihre Muskeln oszillierten auf derselben Wellenlänge. Schließlich umklammerte sie ihn mit ihren zusammengepreßten Schenkeln. Er erschlaffte fast, aber sie ließ seine Härte gegen seinen runden Bauch prallen und glitt hoch, um sich auf ihn zu setzen. Sie wand und räkelte sich, bis sie beide Lippenpaare ins Spiel gebracht hatte. Die Musik war ein rhythmisches Pochen, ein kontrapunktiertes Donnern, ein dumpfes Dröhnen, und im schrillen Klang des Plektrums auf den stählernen Gitarrensaiten konnte man das Klirren von Schwertern auf Schilde vernehmen.
Ihr Sex war ein unablässiger Kampf, bei dem Gegnerschaft über Blutvergießen schließlich zu körperlicher Liebe führte. Und im Grunde genommen tat es ihr so weh wie ihm, als sie nicht aufhören wollte, nachdem er gekommen war, als die Mattigkeit überhand nahm und sein Schwanz empfindlich war. Aber seine Erektion erwies sich als standhaft genug, und die Zeit brachte neuen Enthusiasmus, aus seinem müden Pumpen wurde ein rasches Stoßen und das rasche Stoßen wurde zu einem wilden Toben, das, wie im Krieg, in ein Chaos aus Schreien und Explosionen mündete, bis sie schließlich ausgepumpt in zärtlicher Umarmung miteinander lagen.
Nach einer längeren Zeit des Ausruhens und Atemholens rollten sie voneinander weg, und sie stand auf, um zu duschen.
Aber es blieb nicht das letzte Mal in dieser Nacht. In ihren Kopulationen lag eine tiefe Verzweiflung, wie Cole erkannte, der Wille, in der noch verbleibenden Zeit so viel wie möglich zu erleben.
Am Morgen, dachte Cole. *Am Morgen wird etwas passieren.*

Es war fast Mitternacht, als Catz sich anzog und wegging, um sich um die Belange der Band zu kümmern, denn Mitternacht war die beste Arbeitsstunde der Leute, zu denen sie wollte. Cole fiel in einen erschöpften Schlaf.
Gegen null Uhr dreißig hatte er einen seltsamen Traum. Er träumte, daß seine beiden Arme miteinander stritten, wem rechtmäßig seine Schultern zustanden. Und seine Beine fochten um die Besitzrechte an den Hüften. Aber sowohl Schultern als auch Hüften protestierten schrill, daß ihnen eigene Plätze in der Anatomie zustanden und demzufolge eigentlich *sie* die Befehlsgewalt über Arme und Beine haben sollten, und nicht umgekehrt. Während die Arme hitzig vertraten, daß sie Macht über die Schulterpartie haben müßten und die Schultern ihre Ansprüche auf die Arme kundtaten, und Hüften und Beine ihren eigenen Streit ausfochten, meldeten sich Geschlechtsorgane und Magen zu Wort. Der Penis forderte, der ganze Körper sollte nur ihm allein unterstellt werden, da die Fortpflanzung sicherlich die Hauptantriebskraft wäre. Der Magen protestierte zornig dagegen und plädierte, Coles Person müßte ganz Magen werden, da jeder Narr wüßte, daß Nahrungsaufnahme universell als Priorität Nummer Eins anerkannt würde.
Nur der Kopf war still.
Cole erwachte mit dem Bewußtsein, allein zu sein (abgesehen von der Stadt, die vor der Suite wirbelte und sich um Cole als menschliche Achse drehte). Es war zwei Uhr morgens. Er lag auf dem Rücken. Er blinzelte. Er war schweißgebadet, trotzdem fühlte er sich kalt. Kalt und ausgehöhlt. Er war hellwach und aufgeschreckt. Was hatte ihn geweckt? Ein merkwürdiges Gefühl krabbelte seinen rechten Arm hoch. Er schluckte und atmete heftig ein. Er empfand ein tiefes Unbehagen vor jeder Art von Ungeziefer. Vielleicht krabbelte eine Maus auf seinem Arm herum. Oder noch schlimmer, eine Ratte. Und wenn sie ihn biß? Er bemühte sich, nur seinen linken Arm zu bewegen und schaltete mit ihm die Lampe auf dem Boden neben der Matratze ein. Er hielt den Atem an und suchte nach dem Störenfried. Er hob die linke Hand, um das Ding zu verscheuchen.
Aber es war nichts da. Abgesehen von einem Lampenkabel, das nicht mehr in der Steckdose steckte. Eine von zwei Lampen. Merkwürdig, daß die Schnur auf dem Bett lag. Sie verlief wie eine Vene über das helle Laken bis zu der Lampe auf dem flachen Glastisch neben der Matratze.
Warum starre ich dieses Kabel so an? fragte er sich.
Catz mußte sie auf das Bett geworfen haben, als sie aufgestanden war. Vielleicht war sie ihr im Weg gewesen.
Aber was war dann über seinen Arm gekrabbelt? Ein Traum.
Er warf das Kabel vom Bett und legte sich wieder zurück. Er fühlte sich merkwürdig schwer und war dankbar, sich wieder hinlegen zu können.

Aber es dauerte fünfundvierzig Minuten, bevor er wieder einschlafen konnte.
Er glitt hinüber und schien in der Matratze zu versinken. Er wurde zu Flüssigkeit, die glücklich durch die unterirdischen Rohrleitungen der Stadt brauste, während über ihm, in leuchtendem Aufriß, die Gebäude und öffentlichen Einrichtungen durchsichtig und überschaubar wurden und in maschinenhafter Choreografie neonhell blinkten

Um vier Uhr morgens weckte ihn wieder etwas. Ein beengtes Gefühl in seinem rechten Arm: Das Lampenkabel hatte sich eng um seinen Bizeps gewunden, und der Stecker bohrte seine Kupferkontakte in seine Schultern, wie eine Schlange ihre Fangzähne.
Er brülle etwas Unartikuliertes, zog seinen Arm weg und schüttelte das Kabel ab. Wo der Stecker »zugebissen« hatte, war jetzt eine Wunde im Fleisch.
An der Schulter waren zwei Einstiche. Rings um die Wunde war das Fleisch wie betäubt. Er wollte den Arm heben, um die Wunde besser untersuchen zu können, doch die Betäubung breitete sich weiter aus. Schließlich erfüllte sie den ganzen Arm, der plötzlich unglaublich schwer wurde. Er mußte ihn aufs Bett zurückfallen lassen. *Er ist nur eingeschlafen,* beruhigte er sich.
Er gab sich die allergrößte Mühe, den Arm wieder etwas zu bewegen. Es ging nicht.
Er hörte sich selbst wimmern. Er schluchzte. Er stand auf und hustete Speichel aus. Er fühlte sich, als wäre er gerade in einem Flugzeug im Sturzflug aufgestanden, der Sog der Schwerkraft zerrte ihn nieder. Obwohl seine Glieder wie taub waren, schaffte er es ins Bad. Seine Muskeln wollten ihm nicht gehorchen, sie wollten irgendwo anders hin und weigerten sich beharrlich, die Befehle seines Willens auszuführen. Er taumelte zum Waschbecken, schob Catz' Utensilien beiseite und suchte die Schachtel mit den Schlaftabletten. Das mußte er mit der linken Hand tun, der rechte Arm baumelte bleischwer und wie totes Fleisch an seiner Seite. Er schluckte sechs Schlaftabletten ohne Wasser. Er taumelte zum Bett zurück und löschte das Licht.
Das Kabel hat sich um meinen Arm gewickelt, als ich mich im Schlaf gedreht habe, beruhigte er sich selbst. *Krankheit. Wird morgen früh wieder in Ordnung sein.*
Danach fiel er wie ein Stein von einer Klippe in den Schlaf.

Doch ungeachtet der Schlaftabletten erwachte er um sechs Uhr wieder. Die Sonne sandte ihre ersten zaghaften Strahlen durch einen Spalt im Vorhang.

Cole versuchte sich aufzurichten. Er konnte sich nicht bewegen. Er sah an sich hinab.
Das Kabel war um seinen Nacken geschlungen. *Zwei* Kabel, ein weiteres um seine Hüfte. Cole konnte mit Mühe den Kopf vom Kissen heben und über den Rand des Bettes sehen, das Kabel, das sich langsam um seine Kehle schnürte, lief über die Matratze, am Bett hinab und unter dem Glastisch durch ... aber es führte nicht mehr zur Lampe, wie er vermutet hatte. Es war von der Lampe losgerissen worden. Das andere Ende, das eigentlich zur Lampe hätte führen müssen, steckte in der Wandsteckdose.
Er fühlte etwas an seinem Schädel nagen und zerren. Es kribbelte dort, aber einen Elektroschock spürte er nicht.
Aber dann bemerkte er mit gewaltiger Hysterie, daß er im Grunde genommen fast überhaupt nichts mehr fühlte.
Seine Glieder fühlten sich schwer, tot und geschwollen an.
Zweifellos empfing er gewaltige elektrische Ströme, die er einfach nicht spürte. *Zweifellos. Kein Zweifel. Wahrscheinlich. Offensichtlich.* Spöttische, sinnlose Worte, die durch sein müdes Gehirn rasten.
Röchelnd verlor Cole das Bewußtsein.
Als er wieder zu sich kam, war es beinahe Nachmittag. Aber Cole wußte nicht genau, welche Uhrzeit. Es war ihm unmöglich, auf die Uhr zu sehen, da er sich nicht bewegen konnte. Etwas bewegte sich über ihn. Schlängelte sich über ihm und kroch über ihn dahin. Kabel, schwarze elektrische Leitungen, glitten unaufhörlich um ihn und woben ihn ein. Veränderten ihn.
Stadt? Ein lautloser Schrei. *Stadt!*
Keine Antwort.
Und wo war Catz? Aber sie hatte ja gesagt, sie würde erst am folgenden Abend wieder zurückkommen. *Ganz gut, daß sie nicht hier ist und das mit ansehen muß,* dachte Cole. *Sie würde sich dagegen wehren. Aber Kämpfen war vergeblich.*
Cole wußte, er starb.
Manchmal ist Wahnsinn keine Abweichung. Manchmal ist er eine notwendige Justierung. Manchmal ist er der einzige Ausweg.
Es gibt bestimmte Arten von Schrecken und Entsetzen, denen kann man nur wahnsinnig ins Auge sehen. Das war immer so, und viele Menschen haben das bestätigt. Es ist eine Wahrheit, die jeder kennt. *Es gibt bestimmte Arten von Schrecken und Entsetzen ...*
Und einer dieser Schrecken ist die schleichende Paralyse, die Art von Lähmung, die sich wie die Ewigkeit anfühlt. Gefangen zu sein unter dem Gewicht einer ganzen Stadt, lebendig begraben zu sein, ein Mann aus Stein werden, zu erstarren – Denken, Fühlen und Handeln ersterben langsam ...

Er hatte das Gefühl, zwischen zwei sich schließenden Wänden zermalmt zu werden, oder sich zwischen den zuklappenden Kiefern eines Monsters zu befinden.
Cole fragte sich, ob Stadt es schmerzlos für ihn machen konnte. Wenn Stadt das *wollte.*
Er wollte nicht... Der Schmerz kam durch seine tauben Glieder wie ein großer Lastwagen, der plötzlich in einer dichten Nebelbank sichtbar wird. Er schmetterte auf ihn nieder, lärmend und mit ungeheurer, metallischer Wucht...
Die Schmerzen waren unvorstellbar.
Es gibt bestimmte Arten von Schrecken und Entsetzen...
Cole konnte keinen Ton von sich geben. Aber innerlich lachte er. Er fragte sich, während die Schmerzen teuflische Melodien auf seinem Rückgrat spielten und wogend durch seine Nerven pulsierten, er fragte sich, was wohl aus Pearl geworden war. Und Catz. Und...
Er lachte, weil er sich schon jenseits des Weinens befand.
Stadt!
Eine weiße Woge...
Cole starrte zur Decke hoch und stellte sich vor, sie wäre alles, was auf der Welt existierte.

Er wurde unter dem Gewicht einer ganzen Stadt zermalmt... bis der Tod kam und die Last von seinen Schultern nahm.

Der Klang von Catz' Stimme befreite ihn davon.
Er stand neben dem Bett und starrte sie an. Er konnte sich nicht mehr daran erinnern, vom Bett aufgestanden zu sein. Er erinnerte sich daran, daß er sich auf dem Bett nicht mehr hatte bewegen können und er gefangen und gefesselt gewesen war – und verändert. Und dann Kaleidoskope der Aufrißpläne Stadts und eine saugende Schwärze. Und nun war er hier und betrachtete Catz, die in der Schlafzimmertür stand, sich die Augen rieb und gähnte.
Es war acht Uhr abends. Im Zimmer war es dunkel, die Gestalt auf dem Bett nur verschwommen.
Was war auf dem Bett? fragte sich Cole. »Catz?« sagte er, seine Stimme echote seltsam. Es war eine Stimme und doch wieder keine Stimme. Er kicherte.
Da lag jemand auf dem Bett. Es war nicht Cole, und es war auch nicht Catz.
Catz griff zum Schalter und schaltete das Licht ein.
Cole blinzelte. Die Gestalt auf dem Bett war transparent. Der ganze Raum – Cole sah sich verwundert um – war transparent. Und auch Catz war

transparent. Wie schlechte Holos. Die Wände bestanden aus einem seltsamen statischen Nebel, durch den er Kabel und andere Zimmer sehen konnte... und den Flur... und dahinter weiteren Nebel, der den Rest verschleierte. Er sah hinab auf seine eigene Hand. Sie war solide, sie war real. Es schien, als wäre er das einzig verbliebene körperliche Ding in dieser Welt.

Und die Gestalt auf dem Bett war er selbst. Sie lag tief eingesunken im Bett, als hätte sie ein unglaublich großes Gewicht. Was seltsam war, da man durch sie hindurchsah und sie deswegen nicht so schwer sein konnte.

Und dann klickte es plötzlich, und alles kam an den richtigen Platz. Cole durchlebte eine Erkenntnis nach der anderen, bis er taumelte und sein Kopf sie kaum mehr fassen konnte. Zuerst einmal hatte er eine dreifache Erkenntnis:

1. Er selbst war gestorben. Er war tot.
2. Die Gestalt auf dem Bett war sein Körper, verwandelt und ihm genommen.
3. Aus seiner Sicht – der seines neuen Körpers (Astralkörpers?) – war die Welt transparent, sie war da und doch auch wieder nicht. Sie wurde als die durchsichtige Illusion enthüllt, die sie im Grunde genommen war, aber aus *ihrer* Sicht war es Catz, die solide und real war, und Cole war tot. Für sie war er nach menschlichem Ermessen gestorben.

Macht drei. Hinzu kommt noch eine vierte:

4. Er selbst lebte. Er lebte in einem neuen Körper, einem neuen Wesenszustand. Nur der alte Cole war tot.
   Er war am Leben und er konnte denken. Aber er war nicht mehr normal.
   Stadt hatte den alten Cole getötet. Er hatte seinen Körper genommen und, vorbereitet durch den ausgedehnten Rapport, in seinen Besitz überführt. Der Körper eines Mannes im Besitz einer ganzen Stadt – das lag dort auf dem Bett.

Catz schrie.

Sie rüttelte den alten Cole an der Schulter und versuchte mit Faustschlägen das Leben in die kalte Brust zurückzubringen, was ihr allerdings nur blutige Knöchel einbrachte. Als sie das bemerkte, hörte sie auf und bedeckte mit zitternden, blutigen Händen den Mund. Ihre Augen wurden weit und leer. Sie verstand plötzlich.

Der nackte Körper auf dem Bett hatte sich in Stein verwandelt.

Aber Stein, von Stadt animiert, konnte sich bewegen und wandeln wie lebendes Fleisch. Die Gestalt auf dem Bett streckte sich, das Bett ächzte unter ihrem großen Gewicht. Die Augen blieben jedoch geschlossen. Sie setzte sich auf. Der Kopf bewegte sich vor und zurück und nach den Seiten, wie eine automatische Radarantenne, die den Raum absuchen wollte. Dann stand sie langsam auf und sah in den Spiegel an der gegenüberliegenden Wand. Die harten, kalten Züge blieben grimmig. Das Gesicht gehörte Cole, der Gesichtsausdruck Stadt. Der einstige Cole hob die Hände, um die Augen damit zu bedecken, die obere Gesichtshälfte wurde unter gewölbten Handflächen verborgen. So verharrte er mehrere Sekunden lang, während Catz entsetzt an die Wand gepreßt stand und schwer atmete. Dann senkte die Gestalt die Hände, wo zuvor Augen gewesen waren, befand sich jetzt eine Spiegelglasbrille, die sich nahtlos an das Fleisch der Nase fügte. Stadt wandte sich um und betrachtete Catz, die sich in der Brille spiegelte. Catz' Gesichtsausdruck – Abscheu – wurde zweifach reflektiert. »Catz!« sagte Cole. Sie sah verblüfft in seine Richtung. Sie schien ihn nicht zu sehen, konnte ihn aber hören. »Kannst du mich sehen?«

»Stu?« fragte sie zweifelnd. Sie blinzelte. »Ich kann fast... etwas ist da, aber...«

»Catz...« begann Cole. Ihr Kopf fuhr ganz herum. Sie hatte ihn gehört.

»Stu!«

Die Gestalt am Spiegel – Stadt – wandte sich ebenfalls in Coles Richtung. Cole fühlte den Blick auf sich ruhen. Er konnte die Stadt um sich herum fühlen, so wie ein Schwimmer etwas von der Tiefe des Ozeans spürt, obwohl er nur im seichten Wasser nahe am Strand herumschwimmt... Resonanzen aus einer großen, unfaßbaren Tiefe. Die Stadt hallte wider von Verkehrslärm und dem Gebrüll von Kindern...

Stadt wandte sich wieder von ihm ab, und das Hintergrundgeräusch verebbte langsam. Stadt bewegte sich auf Catz zu und griff mit einer kalten Hand nach ihrer Schulter. »Dieser Ort ist nichts für dich«, sagten die eisernen Lippen unter der unbeweglichen Nase und der Spiegelglasbrille. Sie gab einen Laut von sich wie »Auh-auh-oh-aua...« und wich vor ihm zurück. Sie rieb mit einer Hand den Bluterguß, wo er sie berührt hatte. Sie wandte sich um und verließ den Raum, und Cole hörte sie noch sagen: »Tut mir leid, Stu.«

Eine seltsame Wärme fiel von Cole ab, sein neuer Zustand tat ihm weh.

Stadt wandte sich ihm zu und sagte: *»Geh, wohin du willst. Du kannst die Weite des Raumes und die Länge der Zeit durchwandern. Aber komm mir nicht in die Quere. Es ist Zeit für den Sog...«*

Schimmernd ging Stadt durch schimmernde Türen in schimmernden Wänden und ließ Cole allein mit der Welt zurück.

ZEEEHNN!

Die Männer in dem Konferenzzimmer hatten, jeder für sich betrachtet, nur wenige Sorgen. Tatsächlich dachten drei der sieben Männer ausschließlich ans Essen – es war Donnerstagabend, neunzehn Uhr dreißig. Die anderen vier dachten ans Essen *und* an persönliche Verabredungen, die sie für den Abend getroffen hatten (einer von ihnen – der Anwalt – war vollkommen in eine sexuelle Phantasienummer verstrickt, mit der linken Hand streichelte er die Erektion in seiner linken Hosentasche) und bemühte sich gleichzeitig, so wenig wie möglich an den Grund ihres Treffens zu denken. Sie hatten die Diskussion satt, das Thema hing ihnen sichtlich zum Hals heraus. *Die Saboteure.* Sie dachten nicht gerne an die Saboteure (manche waren der Meinung, es handelte sich nur um einen einzelnen Mann, aber ein müder Clubbesitzer konnte wohl kaum verantwortlich sein für einen versuchten Bombenanschlag, den Mord an mehreren Vigilanten, der Störung eines Einsatzes bei einem Rockkonzert mittels propagandistischer Holos, einem halben Dutzend weiterer, kleinerer Zwischenfälle und ganz zu schweigen von dem Massaker an einigen schwerbewaffneten Vigilanten mittels Straßenlaternen und geborstenen Leitungsrohren, weil sie sich vor den resultierenden Konsequenzen fürchteten. Alles war so glatt verlaufen ... bis vor kurzem. Daher war die Diskussion zu einem resignierten Gespräch geworden, das in einer ganzen Reihe von Seufzern und Stöhnen endete. Das Problem konnte ohne weitere Daten nicht gelöst werden. Auf später verschieben!

Rufe Roscoe war natürlich mit dem Verlauf der Debatte überhaupt nicht zufrieden. Seiner Ansicht nach fehlte es ganz einfach an Unternehmungsgeist. Sein Konzil schien abgeschlafft und indifferent. *Verdammte Bastarde.* Vielleicht, dachte er, sollten sie ihre Treffen nicht hier oben in dem hoch gelegenen und erdbebensicheren Gebäude mit der Klimaanlage abhalten. Es war ein Schoß mit Aussicht – vielleicht zu komfortabel. Als sie vor achtundzwanzig Jahren begannen, da hatten sie ihre Treffen noch in rauchverhangenen, billigen Zimmern abgehalten, in denen man immer das Klacken von Billardkugeln und das Murmeln des Croupiers im Nebenzimmer gehört hatte. Diese verwundbare Umgebung hatte sie ständig daran erinnert, daß sie höher und sicherer sein konnten, und dieses Wissen hatte sie angetrieben. In einem solchen Raum hatte er erstmals das Computerunterschlagungsschema dargelegt, das ihm seine erste Million eingebracht hatte.

Und hier? Pastellfarbene Wände, Muzak, die aus verborgenen Lautsprechern säuselte, Wölkchen vor dem polarisierten Fenster... die Männer im Konferenzraum wurden von dieser Umgebung eingelullt und von ihrer Unverwundbarkeit überzeugt. Sie genossen ihr zweifelhaftes Wissen, daß niemand ihnen etwas antun konnte (und dachten dabei niemals an die beiden Maskierten, die hier eingedrungen waren und im selben Stockwerk den Mann aus dem Osten erschossen hatten – denn jetzt waren ja neue Vorsichtsmaßnahmen getroffen worden, teure Vorsichtsmaßnahmen, damit so etwas nicht noch einmal vorkommen konnte). Sie waren sicher.
Die verschlossene Tür des Konferenzraumes barst krachend aus den Angeln und kippte in den schmalen, orientalischen Rücken von Fred Golagong, den sie an drei Stellen brach und damit augenblicklich tötete.
Ungeachtet seiner Panik dachte Rufe Roscoe: *Geschieht dem dreckigen Bastard ganz recht*... Als der Mann im Türrahmen (der für Rufe Roscoe kein Fremder war, obwohl er ihn noch niemals zuvor gesehen hatte – es war eine seltsame Gestalt aus einem noch seltsameren Traum) in den Raum eindrang, wurden aus drei verschiedenen Richtungen Schüsse auf ihn abgegeben. Männer begannen zu schreien. Nur einer dieser Schreie war rational, und der stammte von Rufe Roscoe: »Was, zum Teufel, ist mit den verdammten Wachen und mit den verdammten Alarmanlagen passiert?« Das waren seine letzten Worte, denn nachdem er sie ausgesprochen hatte, tötete ihn der Mann mit der Spiegelglasbrille und den Armen, die so kräftig wie eine Zugbrücke waren, auf der Stelle.
Sieben Männer befanden sich in dem Raum, doch es dauerte nur eineinhalb Minuten, sie alle zu töten.
Der Sog hatte begonnen, und San Francisco trug seinen Teil dazu bei.

Acht Uhr in Phoenix, Arizona. Eine warme Nacht.
Phoenix ist eine Stadt, in der Konstruktionsarbeiter ständig am urbanen Stadtgefüge hantieren. Sie bauen auf und reißen ab, was sie ›Hausprojekte‹ nennen. Konstruktion und Destruktion, Männer halten flammende Reden über den ewigen Zyklus des Lebens, Tod und Wiedergeburt, die Geburt des Neuen aus der Asche des Alten, die Asche, aus der sich der Phönix erhebt.
Und wie ein unglaublicher metallener Vogel seinen Kopf hebt, reckte die automatische Abbruchmaschine ihren Ausleger. An ihm war an einem Kabel eine Metallkugel mit einem Gewicht von zehn Tonnen befestigt. Wie ein Vogel mit langem Nacken sah sich die Maschine um. Sie hauste in den Ruinen eines großen Gebäudes, ein Gefilde, das mit Trümmern von Hauswänden und Metallträgern übersät war wie das Nest eines Vogels.

Um den sirrenden Kran herum ragte zwischen Trümmern noch etwa drei Viertel des abbruchreifen Gebäudes empor und zeigte das Innere einer der letzten großen Villen des Ortes, die noch aus dem neunzehnten Jahrhundert stammte. Einst war sie eine große Stätte gewesen, der Stolz der Stadt, ein Opernhaus mit ornamentalen Dachverzierungen und Steinengeln, welche die geschwungenen Emporen und Simse trugen. Ein solides Haus, aus bestem Stein und Holz erbaut, und es hätte gut und gerne noch ein weiteres Jahrhundert seinen Zweck erfüllen können, wären da nicht gegenläufige Interessen eines bestimmten Bodenspekulanten gewesen...
Der Architekt, der das Haus im Jahre 1891 entworfen hatte, hatte sich angesichts der Baupläne vor Stolz seinen prachtvollen Schnurrbart gezwirbelt. Er hatte diesen Tag nicht vorhergesehen, nicht einmal in seinen schlimmsten Träumen an ihn gedacht, der Tag, an dem sein elegantes Geisteskind von einem seelenlosen Kran, seinem Mörder, in Schutt und Asche gelegt wurde.
Aber als hätte dieser Mörder plötzlich Verständnis für das Kulturgut entwickelt, das er vernichtete, als wollte er den Mord rächen, zu dessen Ausführung er gedient hatte, schaltete er plötzlich sein Kameraauge und die Scheinwerfer ein, bewegte seine gewaltige Stahlmasse aus der Ruine heraus und rollte polternd die menschenleere Straße hinab.
Der Kran war ohne Befehl seines Programmierers erwacht, und ohne Leitung seines Programmierers folgte er einem vorgeschriebenen Kurs durch ein Labyrinth von Seitenstraßen, störte den Verkehr und löste fünf verschiedene Alarme aus.
Jeder ging ihm aus dem Weg, keiner wagte es, das Unmögliche in Frage zu stellen.
Bis zum Ziel der Abbruchmaschine waren es nur sechs Blocks: Ein neues Bürogebäude, das in sechs hexagonalen Blocks angeordnet war, die durch transparente Korridore miteinander verbunden waren und gleichzeitig jedes Stockwerk mit den Fahrstühlen und Lifts verbanden. Ein Haus, das größtenteils aus polarisiertem Plastikglas und Chromaluminiumträgern bestand. Es war dekorativ und im Licht der zahlreichen Scheinwerfer prächtig anzusehen. Im zweiten Stock der glänzenden Struktur stritten drei Männer und zwei Frauen heftig.
Einer davon, Lou Paglione, schlug wiederholt mit der flachen Hand auf die Tischfläche. »Es ist mir egal« – schlapp! – »ob der Mann sich für den Herrn der ganzen westlichen Hemisphäre hält« – schlapp! – »er muß trotzdem die Dinge in Übereinstimmung mit« – schlapp! – »der Prozedur« – schlapp! – »regeln!« Er richtete sich auf und steckte die Hände in die Hosentaschen, erfreut darüber, die allgemeine Aufmerksamkeit auf sich gezogen zu haben. Er war der am wenigsten eindrucksvolle Mann in dem Raum – schmale Schultern, Wampe, Glatze, dicke Hornbrille, ein

Äußeres, das fatal an einen vertrockneten Hochschulbibliothekar erinnerte – aber augenblicklich war ihm jedes Gesicht respektvoll zugewandt.
»Nun denn«, fuhr Paglione fort und kratzte sich am Ohr, »für Sie ist es vielleicht nur eine Kleinigkeit, aber für mich ist es von größter Bedeutung. Mr. Rufe Roscoe trifft Vorbereitungen, nach den Zusammenkünften mit den Stadträten jeder Stadt via Datatrans kommunizieren zu können. Mit einigen von uns, in nahegelegenen Zeitzonen, will er sogar direkt Verbindung haben. O ja! Er gibt diese lausigen Instruktionen auf eine Art und Weise, die jede Infragestellung bereits im Keim ersticken – ohne daran zu denken, daß wir, weiß Gott, unsere eigenen Pläne haben, um deren Durchführung wir uns kümmern müssen – und dann widerruft er seine eigenen Instruktionen...« Paglione zeigte auf den leeren Bildschirm, der gleichzeitig den Kopf des Tisches einnahm und die fünf Direktoren von Sunset Operations West voneinander trennte, wie die Deckorganisation der Computerinfiltrationsbranche des Syndikates von Phoenix hieß.
Eine Frau mit zynischen blauen Augen und einem bemalten Patriziergesicht unter den Locken einer blonden Perücke schürzte ihre nadeldünnen Lippen und sagte: »Dabei sollten wir aber nicht vergessen, Lou, daß Rufe Roscoe *immer* getan hat, was er versprochen hatte. Das ist das erste Mal... und es war auch ein wichtiges Treffen. Er ist nicht der Mann, der die Dinge einfach schleifen läßt. Und dann noch die Tatsache, daß aus seinem Gebäude überhaupt keine Antwort mehr kommt – nun, wenigstens sollte er doch einen Anrufbeantworter haben, aber nicht einmal das funktioniert.«
Paglione runzelte die Stirn und nickte dem blau-weißen Schirm zu. »Sie meinen also, es ist etwas schiefgelaufen.« Es gab verschiedene Arten zu sagen, *etwas ist schiefgelaufen.* Paglione hatte gemeint: *Er ist angegriffen worden.*
»Man hat Gerüchte über seltsame Vorkommnisse gehört«, sagte ein junger Mann vorsichtig. »Ich... äh, ich schluck' sie aber nicht so ohne weiteres, Gerüchte sind selten verläßlich. Aber nun, wo alles so übel aussieht... beginne ich fast...«
Er gab ein ersticktes Geräusch von sich und betrachtete das verdunkelte Fenster mit seltsamem Gesichtsausdruck. Paglione drehte sich um. »Was? Wer?« gurgelte er.
Das Fenster war eigentlich nur auf Halbdurchlässigkeit geschaltet, aber größere und sehr nahe Objekte konnte man trotzdem schemenhaft dahinter erkennen.
»Nur ein Schatten«, sagte die Frau ungeduldig und wandte sich wieder vom Fenster ab.

Aber Paglione starrte weiter hinaus. Die Silhouette schien mit jeder Sekunde größer zu werden. Es war eine monströse Gestalt, ein Skelettgigant mit einer gewaltigen, runden Faust. Der junge Mann erhob sich plötzlich, ging zum Fenster und schaltete es auf Transparenz.
Paglione war nicht dadurch zum Patron geworden, daß er seine Umgebung ignoriert hatte. Kaum hatte er den Kran gesehen, sprang er auch schon auf die Beine und eilte schnell zur Tür hinaus und sprang in den Fahrstuhl.
Auch die anderen sahen ihn, doch sie hatten nur noch Zeit für wütende Schreie.
Er war zu unerwartet und zu nahe (und zu groß), als daß man ihn binnen eines kurzen Augenblickes hätte erkennen können, obwohl er sich deutlich gegen die Lichterkulisse der nächtlichen Stadt abhob. Für die vier verbleibenden Menschen in dem Büro war er schlicht und einfach das grausame, metallene Instrument ihres Todes. Bevor sie Zeit hatten, für weitere Schreie Atem zu holen, explodierte der Raum. Große Glasscherben, Chromteile, Blut und Fleischfetzen regneten auf den blauen Teppich des Erdgeschoßbüros.
Paglione stürmte gerade aus dem Fahrstuhl heraus und eine Treppe hinab (er nahm vier Stufen auf einmal), um zu dem Parkplatz direkt vor den gläsernen Frontfenstern des Bürogebäudes zu gelangen. Er stolperte und fiel hin, Trümmer regneten auf ihn herab. Aber keines der Stücke traf ihn ernstlich. Er rappelte sich wieder auf und gab im Laufen merkwürdige Geräusche von sich, etwas wie »Aaak, aughk!«
Der Kran nahm das Gebäude mit tödlicher Effektivität auseinander. Die magnetisch gesteuerte Kugel zertrümmerte methodisch Eckpfeiler und Streben und zerschmetterte die ganze Struktur systematisch. In den stabileren Sektionen traten selbständig Mikrowellen der Kugel in Aktion und machten die Wände für die Schläge der Kugel mürbe. Innerhalb von fünfzehn Minuten war die ganze, vier Monate alte Multimillionen-Dollar-Struktur des Bauwerkes in sich zusammengefallen und dem Erdboden gleichgemacht wie ein Kartenhaus. Die ganze Stadt hallte von dem donnernden Lärm wider.
Einer der Feuerwehrmänner, die die Szene mit aufgerissenen Augen von den in der Nähe parkenden Löschwagen betrachteten, pfiff leise vor sich hin. Der Mann an seiner Seite lächelte auf merkwürdige, traumhaft zufriedene Weise. »Wie in dem Traum, den ich letzte Nacht hatte«, sagte er. »Komische Sache...«
»Ja, ich habe es auch geträumt.«
Das Löschfahrzeug, Teil einer größeren Menge von Notfahrzeugen aller Art, die durch Meldungen über einen amoklaufenden Kran alarmiert worden waren, parkte etwas abseits von den anderen Wagen. Der Motor

war tot, die Lichter aus, der Fahrer war nicht da. Doch plötzlich wurde der Motor – ohne Fahrer – angelassen, das Fahrzeug schwenkte auf die Straße und erschreckte die Feuerwehrmänner, die an der Schlauchwinde standen. Es raste auf die Gestalt eines Mannes zu, der über den Gehweg zu entkommen versuchte. Ein kleiner Mann, dessen schütteres Haar strähnig vom Kopf abstand, dessen Halbglatze schweißnaß war. Er sah über seine Schulter und sagte »Aaak, aughk!« als das Löschfahrzeug ihn überfuhr. Und dann war Boß Paglione tot, und die Abbruchmaschine hörte auf abzubrechen, und der Löschwagen blieb wieder stehen, und der spezielle Teil des Überverstandes von Phoenix, der das alles eingeleitet hatte, begab sich wieder zur Ruhe.
Mehrere tausend Menschen, die schliefen oder noch wach vor ihrem Fernseher saßen, grunzten zufrieden vor sich hin. Sie hätten nicht sagen können, worauf sie so stolz waren, was sie getan hatten, diesen Stolz zu rechtfertigen. Aber der Stolz war da, und ein Parasitennest war ausgeräuchert.
Phoenix hatte seinen Teil beigetragen.

Und in Chicago... Und in Sacramento... Und in Portland, Seattle, Boise...
...In Manhattan fuhr eine Gruppe von Männern mit grimmigen Gesichtern in einer gepanzerten Limousine zu einem Treffen. Diese Panzerung war allerdings von geringem Nutzen, als der Wagen plötzlich seinen eigenen Kurs nahm und mit mehr als einhundert Stundenkilometern durch den Lincolntunnel raste (die völlig verkehrte Richtung). Die Instrumente gehorchten dem verängstigten Fahrer nicht mehr. Am anderen Ende des Tunnels, auf einem größeren, weniger stark befahrenen Platz, prallte sie frontal mit einer anderen Limousine zusammen. Ein Zeuge beschrieb den Unfall später als »spektakulär«.
Die zweite Limousine, die gleichfalls mit hoher Geschwindigkeit und aus eigenem Willen fuhr, hatte vier sehr einflußreiche Männer aus Boston transportiert, die auf dem Weg zu einem Treffen mit den Männern waren, mit deren Wagen sie zusammenstießen. Auf diese Weise kam das Treffen schneller als erwartet zustande.
...In Houston gab es einen Turm. Er war kleiner als Seattles Space Needle, denn er war eigentlich als Nachbildung dieses Gebäudes gebaut worden. Es gab keine großen Unterschiede. Er war etwas kleiner, schmaler und moderner – und, was nicht unerwähnt bleiben darf, mit weniger Mitteln erbaut worden. Wie die Space Needle auch, hatte er ein Restaurant im obersten Stockwerk, und dieses Restaurant rotierte, damit man die imposante Houstoner Skyline und den Golf von Mexico überblicken konnte. In dieser Nacht rotierte das Restaurant nicht in seiner gewohnten

Umdrehungszeit von fünfundvierzig Minuten: Es war geschlossen. Es war vollkommen verlassen, abgesehen von sieben Männern und zwei Frauen, die trinkend und streitend an einem Tisch saßen und auf ein transportables Computerterminal deuteten, das neben dem Zuckerdispensor angebracht war. Diese neun hatten noch nicht bemerkt, daß sie vollkommen allein waren. Niemandem war aufgefallen, daß die Wachen und der Barkeeper sich schon vor längerer Zeit zurückgezogen hatten (wie auch Roscoe und Paglione nicht bemerkt hatten, daß ihre eigenen Diener abberufen worden waren), damit nur die eindeutig Schuldigen zurückblieben – die Stadt hatte sie mit Tricks aus dem Gebäude herausgelockt.
Einer der neun von Houston hob eine Hand und rief ungeduldig zur Bar: »Jude, warum, zum Teufel, lassen Sie denn das verdammte Ding drehen? Sie wissen doch, ich werde seekrank, wenn es rotiert!«
Die anderen blickten überrascht auf, beobachteten die Lichter der Stadt und bemerkten, ah, tatsächlich, das Restaurant dreht sich wirklich.
Jude gab keine Antwort.
»He!« rief die Frau, deren Brauen sich zusammenzogen. »He...« Dieses Mal leiser. »He... verfluchte Scheiße...!« Letzteres, weil sie beim Aufstehen hingefallen war. Denn die Zentrifugalkraft im Restaurant hatte plötzlich zugenommen und ihr die Balance geraubt. Sie kam nie wieder auf die Beine. Innerhalb von Sekunden wurden die Lichter der Stadt zu flitzenden Kometen vor den Fenstern, dann zu kontinuierlichen Lichtstreifen. Die Spitze des Turmes rotierte schneller, als es die Motoren alleine jemals hätten fertigbringen können. Und noch schneller.
Es wurde oft geschrien da oben, aber der Turm (ich wünschte, er wäre elfenbeinfarben angemalt gewesen, aber er war es leider nicht, hätte es aber sein sollen) war zu hoch über der Stadt, als daß man die Rufe hätte unten vernehmen können (die langsam panisches Kreischen wurden, und dann schmerzhaftes Brüllen und dann Wimmern und dann nichts mehr), daher blieb die schlafende Bevölkerung ahnungslos.
Erstaunlich, was eine hohe Zentrifugalkraft mit menschlichem Fleisch anstellen kann. Mit ihrer Hilfe läßt sich deutlich untermauern, daß Sehnen und Knochen eben doch nicht so stabil sind, wie sie aussehen...
...Und in Miami... In Biloxi, Atlanta, Los Angeles, San Diego, Detroit...

»Die halbe Nation ist starr vor Entsetzen«, sagte Cole zu sich selbst, »die andere Hälfte ist voller Abscheu.«
»Ja, richtig. Religiöse Sekten schießen wie Pilze aus dem Boden«, antwortete Cole. Denn Cole sprach nicht im herkömmlichen Sinne mit sich selbst. Er hatte wieder sich selbst getroffen, sich selbst entkörpert, er kam aus einer andern Zeitkonvergenz, und nun machten sie an einer Wahr-

scheinlichkeitsgabelung eine kurze Verschnaufpause, um etwas zu plaudern.
Jeder wußte, was der andere sagen würde, bevor er es ausgesprochen hatte. Trotzdem war es notwendig, die Sätze wie eine Art Litanei auszusprechen.
Der eine Cole war unterwegs, um seiner eigenen Geburt beizuwohnen. Der andere war gekommen, um bei der ersten Begegnung mit Catz Wailen Zeuge zu sein. Er kam gerade von seiner Geburt (und auf dem Weg dahin war er sich selbst auf dem Rückweg begegnet; auf diese Weise werden die Muster orientalischer Teppiche wahrgenommen). Sie standen auf dem Gehweg vor dem zum Bersten gefüllten Anästhesie. Die Stadt um sie herum waberte und flimmerte transparent, die Zeit floß zusammen und wirbelte auseinander, die Leute wanden sich als Röhren stroboskopischer Ereignisspuren die Straßen entlang. Nur sie beide waren in ihren Augen solide.
»Da wir uns gerade von Cole zu Cole unterhalten können«, sagte einer von ihnen und beugte sich vor, »ärgert dich nicht auch die Neutralität unserer Position?«
»Stimmt. Manchmal schon. Auf somatischer Ebene spüre ich nicht viel hiervon. Wenn ich mich selbst kneife, dann schmerzt es – aber wenn ich mit einer Hand gegen eine Wand schlage, dann passiert nichts... obwohl es für sie Beton ist. Daher, äh, folgt daraus, daß es bestimmte Ebenen geben muß, auf die ich – wir – uns begeben und dort mit der Umwelt auch in physischen Kontakt treten können.«
»So wird es enden«, pflichtete der andere Cole bei und kratzte seinen nackten Bauch. Er runzelte die Stirn. »Keiner von uns trägt Kleider... aber ich erinnere mich daran, mich selbst getroffen zu haben, als ich die Warnung vor den Vigilanten bekam. Und, äh, dieses *Selbst* hatte Kleider an...«
»Oh, in einer anderen, relativen Zeitsequenz wirst du – werde ich – Kleider anziehen. Sieh mal, die Kleidung, die du getragen hast, war nahe genug an deinem Körper, um, ähem, die charakteristischen Vibrationen dessen anzunehmen, was wir beide jetzt sind... Auf dieselbe Weise können psionisch Begabte – wie du sicher weißt – auch Vermißte finden, wenn sie eines ihrer Kleidungsstücke berühren... Hat was mit der Absorption von Elektronen zu tun, deren Spins charakteristisch für das eigene elektrische Feld sind... Egal, jedenfalls kannst du Kleider anziehen, die du im Leben getragen hast – dem anderen Leben – sie werden mit auf diese Ebene wandern.«
»Ich *wußte* das bereits«, sagte der andere Cole. »Ich habe keine Ahnung, warum ich dich danach gefragt habe.«
Sie lachten.

Sie standen in einem Zeitkorridor, dessen Perspektive die Welt um sie herum als einen Ereignispfad höherer Frequenz zeigte, in der die röhrenförmigen Menschen in den Straßen paradierten und das Vorbeigehen von Fußgängern markierten. Würden sie in einen Zeitkorridor mit einem weniger frequenten Ereigniszyklus hinabsteigen, dann würden sie die Menschen wie andere Menschen auch sehen, aber immer noch schummerig und von vielen Bildern überlagert.
Ganz in der Nähe von ihnen hatten sich mehrere der stroboskopischen menschenähnlichen Röhren zusammengerottet und standen dicht beieinander, mit dem Effekt, daß mehrere große Bänder sich zu einem fleischfarbenen Bogen zusammenfügten... »So stehen sie überall an Straßenecken und in Tavernen und wundern sich darüber, wer oder was die hohen Mafiosi umgebracht hat«, sagte Cole zu Cole. »Wahrscheinlich wird es damit erklärt werden, daß ein mächtiger Geheimbund sie nach Art der Vigilanten und mittels einer unbekannten Technologie ermordet hat. Ein rachsüchtiger Millionär...«
»Es *war* ein Geheimbund, aber nicht so einer, wie sie ihn sich vorstellen... und jetzt eben erfahre ich ein *déjà vu* – ja, so wird es erklärt werden.«
»Hier sind *déjà vus* keine flüchtigen Gefühle. Sie sind groß und leicht zu verstehen wie Reklamewände. Sie brechen über einen herein wie Wogen eiskalten Wassers.«
»Ich wußte, daß du das sagen würdest.«
»Ich wußte, daß du das sagen würdest.«
Danach lachten sie wie eine Person. Gleichzeitig gingen sie wieder jeder seines Weges.

Cole schlenderte kichernd neben seinem Körper, den jetzt Stadt bewohnte, her. Stadt, der neben ihm herging und gleichzeitig in mehreren Ebenen real war, benützte Coles ehemaligen Körper als Fortbewegungsmittel, aber Cole hatte Schwierigkeiten, diese Version von Stadt als einen Teil von sich selbst zu betrachten, als ein Ding, das jetzt den früheren Stu Cole besaß. Das lag teilweise an der Spiegelglasbrille, die im Nasenbein versunken war, teilweise aber auch an den grimmigen Gesichtszügen, die an einen unausweichlichen Metallklotz erinnerten. Stadt trug eine Uniform aus grobem Khaki und einen Schlapphut. Seine Hosen waren zerschlissen von den Wänden, an denen er entlanggestreift war und von den Kugeln, die ihn getroffen hatten. Cole dagegen trug einen Freizeitanzug und war barfuß. Sie schlenderten gemeinsam durch eine nur spärlich erleuchtete Straße in San Rafael. In der Dunkelheit schien die Umgebung für Cole fast solide.
Er dachte flüchtig darüber nach, daß er sich nicht an dem Raub seines Kör-

pers störte. Es war unausweichlich gewesen, er hatte ihn Stadt förmlich in die Hände gespielt. Und auch Stadt war nicht allein verantwortlich. Nicht mehr als jeder andere in San Francisco. Er war lediglich eine physische Manifestation der unterbewußten Frustrationen und Deformierungen im kollektiven Unterbewußtsein.

»Ich weiß nicht, warum sie immer noch zusammenhalten, nun, wo ihre Arbeitgeber tot sind.«

»Aus Sicherheitsgründen«, antwortete Stadt. »Was dumm von ihnen ist. Sie haben nicht genug Hirn, um zu begreifen, daß ihre Bosse in Gruppen getötet wurden, weil Gruppen leichter auszumachen sind. Die Meinung, was auch immer ihre Bosse umgebracht hat, wird sie auch umbringen wollen, hält sie zusammen. Damit haben sie natürlich recht. Aber es wäre auch nicht anders, wenn sie nicht zusammenbleiben würden, da sie eine Einheit sind, ein gefährliches Krebsgeschwür. Ich muß sie zerstören. Und sie mich zerstören lassen...«

»Oh? Ist der letzte Teil wirklich nötig?«

Stadt nickte sachte. »Wie schon zuvor. Das Blutopfer.«

Cole antwortete verträumt. »Wie damals, als sie dich mit dem Auto anfuhren und dein Blut sich auf die Straße ergoß, und die Straße sich erhob und dich rächte... Ein Ritual.«

»Wenn du so willst. Es ist notwendig.«

Jemand näherte sich ihnen. Ein kleines Mädchen, das einen Terrier ausführte. Das Mädchen und der Hund flackerten transparent, ihre inneren Organe wurden momentan sichtbar, einen Augenblick auch die Blutbahnen unter der Haut. Cole teilte ihren Zeitrahmen und untersuchte sie Schritt für Schritt näher. Neben ihnen war eine solide Gestalt. Sie war nackt und weinte. Es war ein erwachsener Mann, der mit etwa dreißig gestorben sein mußte. Sie gingen rechts an Cole und Stadt vorbei. Das Mädchen riß die Augen auf, als es Stadt sah, aber es sagte nichts. Der Hund erstarrte und zerrte wie wild an seiner Leine, er sprang in den Rinnstein, um so weit wie möglich von Stadt wegzukommen. Das kleine Mädchen konnte Cole und den Mann daneben nicht sehen, der möglicherweise ihr gerade gestorbener Vater war. Abgesehen von ihm selbst, war er der erste entkörperlichte Geist, dem er begegnete. Aber der Mann nickte Cole nur flüchtig zu und wandte dann seinen traurigen Blick wieder dem Mädchen zu. »Twyla«, stieß er verzweifelt hervor. Aber sie konnte ihn nicht hören. Nur der Hund spitzte die Ohren und riß sich los. Er rannte über die Straße, die Leine schleifte auf dem Asphalt. Das Mädchen jagte rufend dem Hund hinterher, ihr weinender Vater folgte den beiden langsamer.

Cole fühlte Kälte in sich. Zum ersten Mal seit seiner Verwandlung war er unglücklich. Und noch während er das fühlte, empfing er einen Ruf von anderswo. Woher?

»Wirst du mich verlassen?« fragte Stadt. In seiner Stimme klang kein Bedauern.
»Nein«, sagte Cole nach einem Augenblick. »Ich werde dich nie verlassen. Solange du existierst nicht, niemals. In etwa vierzig Jahren *ihrer* Zeit werden die Städte fast ausgestorben sein. BZV und die anderen Systeme werden das Globale Dorf möglich machen, und dann wird eine neue Art von kollektivem Verstand entstehen – von kleineren Gemeinschaften mit nur ein paar hundert Einwohnern. Und dann wirst du nicht mehr hier sein und mich brauchen, dann werde ich vielleicht an diesen anderen Ort gehen. Irgendwie bin ich jetzt freier. Ich werde zu anderen Städten gehen. Ich werde demnächst Chicago besuchen. Aber nur kurz. In einem anderen Zeitrahmen werde ich immer hier sein und der frühere – relativ gesehen – der frühere Cole, der sich mit dem Zeitstrom weiterentwickelt, wird auch immer bei dir sein.«
Cole hatte leise und beruhigend gesprochen. Stadt hatte ausdruckslos zugehört und war unaufhörlich weiter durch die Nacht gewandert. Aber er hatte es gehört. Er, sie und alle, die Stadt ausmachten, wußten, daß ein unsichtbarer Freund an ihrer Seite ging.
Vor einem Haus im Rancherstil, dessen Fassade im Flutlicht deutlich zu erkennen war, blieben sie stehen. Auf dem sauber gemähten Rasen knurrten wütend zwei angekettete deutsche Schäferhunde. »Das ist der Ort«, kommentierte Cole trocken. »Äh... wirst du irgendwie eingreifen?«
»Ja, das ist ein Teil meiner Stadt. Sie haben jede Menge Plastikexplosivstoffe im Keller eingelagert. Ich werde sie alle zur Detonation bringen. Du kannst mitkommen und dich an der Explosion erfreuen. Es ist ein einmaliges Erlebnis, im Zentrum einer Explosion zu stehen und doch nicht verletzt zu werden. Es ist großartig.«
»Alle Explosionen sind großartig«, stimmte Cole zu. »Stadt, warum strahlst du keine Musik mehr ab?«
»Disco? Das ist jetzt nicht mehr nötig. Das habe ich nur am Anfang getan, um dich bei der Stange zu halten. Eine Art Hypnose.«
»Ich verstehe«, sagte Cole (obwohl er das auf einer anderen Ebene bereits gewußt hatte). »Aber der eigentliche Grund, weshalb ich gefragt habe...«
»Du willst es wissen? Du bist sentimental«, sagte Stadt.
»Nein, es erscheint mir nur irgendwie richtig.«
Stadt nickte und schritt in dem grellen Licht geisterhaft und furchterregend über den Rasen. Eine rhythmische, elektronische Musik ging von ihm aus. Aus seiner neuen Perspektive konnte Cole die Musik *sehen*. Die Schallwellen kräuselten sich und formten kubistische Muster, die sehr gut zu den Kompositionen paßten.

Cole folgte ein paar Schritte hinterher. Er ging auf Federn und Wolken. Die Hunde sprangen Stadt an, kaum daß er innerhalb ihrer Reichweite war. Einen Augenblick später sprangen sie wieder heulend zurück, Blut troff ihnen von den Lefzen, Zähne waren ausgebrochen. Sie hatten in Stadts unnachgiebiges Fleisch gebissen.
Die Vordertür wurde aufgerissen und ein Mann mit einem Gewehr... war einen Sekundenbruchteil, nachdem er einen Schuß auf Stadt abfeuerte, schon tot. Stadt hatte einen Arm durch seinen Bauch gestoßen, als wäre es Butter.
»He, ich kann die Hintertür nicht aufkriegen!« rief jemand.
»Vergiß es«, antwortete ein anderer, als Cole Stadt in das Haus folgte, in das überfüllte, rauchige und stinkende Wohnzimmer. Männer rannten aus dem Zimmer, sie hatten Cole den Rücken zugewandt. Sie warfen sich gegenseitig um und stießen sich fast die Kellertreppe hinunter.
»Dieses Ding hat Billy abgemurkst! Das ist 'n verdammter Roboter!«
»Holt den scheiß Sprengstoff aus dem Keller – aber seid vorsichtig damit!«
»Stellt die Zünder ein, wir können dann immer noch durchs Kellerfenster verschwinden...«
»Das Fenster klemmt... kann's nicht einschlagen!«
»He, laßt doch das...«
Cole war etwa bis zur Mitte der Treppe gekommen, als das Haus in die Luft flog. Er ritt auf der Schockwelle und beobachtete die umherfliegenden Trümmer, die an ihm vorbeizischten, ohne ihm etwas anhaben zu können. Er fragte sich, ob er durch sie hindurchging oder sie durch ihn. Er beobachtete die Kaskade aus Holz, Beton, Plastik, Staub und Blut mit einem seltsamen Gefühl der Freude und der Befriedigung.
Die Explosion war großartig.

EPILOG

Catz Wailen nahm die Kopfhörer ab. Sie war allein in dem dunklen Aufnahmestudio. Der Tontechniker war schon vor Stunden nach Hause gegangen und hatte darauf vertraut, daß Catz abschließen würde. Die Kontrolleuchten am Mischpult waren die einzigen Lichtquellen. Sie war schweißgebadet. Ihre Ohren klingelten.
Sie nahm den Kopf zwischen die Hände und schüttelte ihn, die nervöse Spannung fiel teilweise von ihr ab. Sie schluchzte, doch keine Träne rann aus ihren Augen.

Nach einer Weile richtete sie sich auf. Mit vor Erschöpfung spröder Stimme fragte sie: »Stu? Bist du im Augenblick in meiner Nähe?«
Sie bekam keine Antwort. Aber etwas wisperte in einer dunklen Ecke des Raumes. Vielleicht ein Putzkommando.
Sie stand auf, streckte sich und ließ ihre Gelenke knacken. Dann legte sie sich in voller Länge auf den Teppichboden und versuchte, sich zu entspannen. Ihr Mund war stumm, und doch rief sie. Sie rief tief aus ihrem Inneren.
»Danke, daß du zu mir durchgedrungen bist«, sagte Stu am Fenster über ihr. Sie sah seine Reflexion, aber nichts, das diese Reflexion hätte erzeugen können.
Spielte auch keine Rolle: Sie konnte ihn hören. »Oh Himmel und Hölle, du elender Bastard, du verfluchter Hurensohn...« So fuhr sie noch eine Weile fort. Dieses Mal begleiteten Tränen ihren Ausbruch.
Das Spiegelbild Coles im Fenster lächelte milde. »Besser jetzt?« fragte er, als sie endlich verstummte.
»Du hast dich von ihm nehmen lassen«, sagte sie tonlos. Sie setzte sich auf, ihre Beine hatte sie auf dem Teppich ausgestreckt.
»Konnte nichts dafür«, sagte Cole. »Aber ich bin bei dir. Ich werde immer...«
»Verdammt! Willst du jetzt den ganzen Ich-werde-im-Geiste-immer-bei-dir-sein-Mist abspulen? Scheiß drauf. Ich *will* nicht, daß du immer bei mir bist. Das würde mir mein Selbstbewußtsein rauben. Ich habe nicht vor, in Zukunft wie eine Nonne zu leben und einem Weichling wie dir nachzutrauern, Cole. Ich habe das dringende Bedürfnis, hin und wieder mal richtig flachgelegt zu werden und ich will nicht, daß du dann kichernd danebenstehst.«
Cole lachte. Catz nicht.
Nach einer Weile sagte Cole: »Ich mußte es dir erzählen.«
Ihre Stimme klang bitter, als sie antwortete. »Oh, ich verstehe.«
»Ich muß zurück nach San Francisco.«
»Kann ich mir denken.«
»Ich werde deiner Karriere dienlich sein. Ich glaube, ich kann...«
»Tu mir bitte keine Gefallen«, antwortete sie. Dann stand sie auf und ging rasch zur Tür. Auf dem Weg nach draußen hieb sie zornig auf einen Knopf. Das Band mit Catz' aufgezeichneter Musik sprang wie eine großartige Explosion in den Raum. Dann war Catz verschwunden. Cole blieb noch einen Augenblick lauschend zurück. Dann zog er weiter zu einer anderen Stadt und einer anderen Musik.